BERLIN IM NOVEMBER

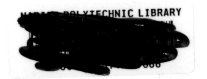

BERLIN IM NOVEMBER

TEXTE
ANKE SCHWARTAU
CORD SCHWARTAU
ROLF STEINBERG

FOTOS
KLAUS UND DIRK LEHNARTZ
PRESSEFOTO MROTZKOWSKI
GÜNTER PETERS
ZENIT
U. A.

NICOLAISCHE VERLAGSBUCHHANDLUNG

Bildredaktion: Rolf Steinberg

Englische Übersetzung für TEXT INTERNATIONAL
GmbH Berlin von Barbara A. Reeves
Französische Übersetzung für TEXT INTERNATIONAL
GmbH Berlin von Dominique Saudan

© 1990 Nicolaische Verlagsbuchhandlung
Beuermann GmbH, Berlin
Alle Rechte vorbehalten
Satz: Nagel Fototype, Berlin
Lithos: O. R. T. Kirchner + Graser GmbH, Berlin
Druck: H. Heenemann GmbH, Berlin
Papier: BVS* matt, holzfrei, weiß,
gestrichen Bilderdruck, 135 g/m^2,
Papierfabrik Scheufelen,
D-7318 Lenningen
Bindung: Lüderitz & Bauer GmbH, Berlin
Printed in Germany
ISBN 3-87584-308-8

INHALT / CONTENTS / TABLE DES MATIÈRES

Ein Traum ist wahr geworden. Die Mauer, die die Stadt zerriß und Menschen 28 Jahre voneinander getrennt hat, ist zu einem historischen Bauwerk, zu einem Relikt des Kalten Krieges geworden. Wer in der Nacht vom 9. zum 10. November 1989 an den Berliner Grenzübergängen dabei war, wer gesehen hat, wie die Berlinerinnen und Berliner ungläubig und mit Freudentränen in den Augen an den verlegen herumstehenden DDR-Grenzern vorbeigingen und sich in den Armen lagen, wird dies nie vergessen. Hier wurde Weltgeschichte geschrieben. Es war ein später Triumph des unbeugsamen Freiheitswillens dieser Stadt und der Entspannungspolitik, die letztlich erst die Politik von Glasnost und Perestroika ermöglicht hat. Es war aber auch ein Triumph der friedlichen Revolution des Volkes der DDR.

Es war der Tag des Wiedersehens, nicht der Wiedervereinigung. Aber wir sind einander so nahe gekommen wie seit 40 Jahren nicht mehr. Jetzt wächst zusammen, was zusammengehört. Berlin hat seine Umgebung wiedergefunden. Es ist die natürlichste Sache der Welt, daß man aus einer Stadt aufs Land fahren kann. Das trifft nun auch für Berlin zu. Teltow, Potsdam, Nauen oder Oranienburg kann man wieder mit dem Fahrrad oder dem Bus erreichen. Es wird aber noch eine Weile dauern, bis das so richtig in unseren Köpfen drin ist. Es ging alles zu schnell.

In diesen historischen Tagen wurden die Schlagzeilen der Weltpresse in Berlin formuliert. Jetzt müssen wir uns nach dem ersten Freudentaumel und Glücksgefühl an die neue Situation erst noch gewöhnen. Günter Neumanns Bild vom »Insulaner«, der unbeirrt hofft, daß seine Insel eines Tages wieder ein schönes Festland wird, ist Realität geworden. Und mit dem Alltag kehrt Ernüchterung ein. Wir sehen jetzt die Probleme deutlicher, die wir zu meistern haben. Wir planen und bauen jetzt nicht mehr für die politische Insel West-Berlin, sondern für eine Stadt, die in ihre Umgebung eingebettet ist. Berlin ist die Metropole im Zentrum Europas, in einem Europa, das nur noch Frieden stiften will.

Walter Momper
Regierender Bürgermeister von Berlin

A dream has come true. The Wall which cut our city in half and separated us from one another for 28 years has become history, a relic of the Cold War. All those lucky enough to be present on the night of November 9 witnessed GDR border guards standing by self-consciously as incredulous Berliners walked right past them and fell into each other's arms with tears of joy in their eyes. No one who saw them will ever forget those scenes. World history was made here. The Wall's demise represents the delayed triumph of this city's unending will for freedom and the policy of détente, without which *glasnost* and *perestroika* would have been impossible. It also reflects the victory of the GDR population's peaceful revolution.

It was a day of reunion, not reunification. But we've become closer than at any time in the past 40 years: finally, what belongs together will grow together. The most natural thing in the world for other cities has finally become a reality in Berlin as well: to be able to take a drive into the countryside. Berlin has rediscovered its environs. We can ride our bikes or take the bus to Teltow, Potsdam, Nauen and Oranienburg again. It will take some time for all of this to sink in: it has all happened too fast.

World headlines have been made in Berlin during these historic days. Now that the initital ecstasy and euphoria have subsided a little, we need time to accustom ourselves to the new situation. Günter Neumann's vision of the "Insulaner" (islander), who never gives up hoping that his island will one day rejoin the mainland, has become a reality. Everyday life has returned, and with it, sobriety.

We now see more clearly the problems before us. We're no longer planning and building for the political island of West Berlin, but rather for a city embedded in its environment. Berlin is a metropolis in the center of Europe: in a Europe which from now on is committed to working for peace.

Walter Momper
Governing Mayor of Berlin

Un rêve s'est réalisé. Le Mur qui pendant 28 ans a déchiré la ville et séparé les hommes n'est aujourd'hui plus qu'un monument historique, une relique de la guerre froide. Celui qui, durant la nuit du 9 au 10 novembre, se trouvait aux passages de frontière berlinoise, celui qui a vu comment les Berlinois et les Berlinoises, leurs yeux remplis de larmes de joie et encore incrédules passèrent près des douaniers Est-allemands et s'embrassèrent, n'oubliera jamais ce moment. L'Histoire était en marche. Ce triomphe longuement attendu provient de l'inébranlable volonté de liberté de cette ville et de la politique de détente qui découle de la glasnost et de la perestroïka. Ce fut également la victoire de la révolution pacifique du peuple Est-allemand.

C'était le jour des retrouvailles, pas de la réunification. Nous nous sommes rapprochés les uns des autres comme jamais encore en 40 ans. Maintenant se réunit ce qui va de pair. Berlin a retrouvé ses alentours. Quoi de plus naturel d'ailleurs que de sortir d'une ville et de se rendre à la campagne? Cet état de choses convient aussi à Berlin maintenant. Teltow, Potsdam, Nauen ou Oranienburg peuvent à nouveau être atteints à vélo ou en bus. Il faudra encore du temps jusqu'à ce que nous en prenions conscience. Tout s'est passé trop vite.

En ces jours historiques, les gros titres de la presse internationale provenaient de Berlin. Après l'ivresse de la joie et le bonheur, nous devons maintenant nous habituer à cette nouvelle situation. L'image de «l'insulaire», créée par Günter Neumann, qui souhaite avec ferveur que son île redevienne une terre ferme, est maintenant une réalité. Le retour à la raison s'installe avec le quotidien.

Actuellement, les problèmes auxquels nous devons faire face se profilent plus distinctement. Nous ne planifions et ne construisons plus pour l'île politique de Berlin-Ouest, mais pour une ville qui a sa place dans ses environs. Berlin est la métropole au coeur de l'Europe, une Europe qui souhaite uniquement le règne de la paix.

Walter Momper
Bourgmestre régnant de Berlin

BERLIN – WIEDERGEBURT EINER EUROPÄISCHEN METROPOLE?

Bis zum 13. August 1961 bleibt Berlin für die Berliner eine ungeteilte Stadt – trotz innerer Grenze, unterschiedlicher Währungen, vieler Erschwernisse im Alltag. In den Herzen ihrer Bewohner ist sie nicht auseinanderzureißen, obwohl die Bindungen von Berlin (Ost) zur Deutschen Demokratischen Republik und die von Berlin (West) zur Bundesrepublik Deutschland enger werden. Die Stadt lebt mit ihren Widersprüchen. Die Menschen treffen einander und nutzen die Möglichkeiten beider Teile. Die Ideologen sprechen von der Unversöhnlichkeit der beiden Systeme. Keiner glaubt bei Errichtung der Mauer im August 1961 daran, daß dies eine Trennung für lange Zeit sein werde – gar achtundzwanzig Jahre. Inzwischen ist eine neue Generation herangewachsen, die bisher nur die durch die Mauer geteilte Stadt gekannt hat.

Von 1961 bis 1963 ist jede Kommunikation zwischen beiden Teilen der Stadt vollständig unterbrochen. Das erste Passierscheinabkommen ermöglicht dann für einen kurzen Zeitraum West-Berlinern Besuche im Ostteil. Bis zur Unterzeichnung und dem Inkrafttreten des Viermächte-Abkommens am 3. Juni 1972 fehlt jede vertragliche Festlegung, die die DDR hätte zwingen können, die Bindungen von Berlin (West) an die Bundesrepublik Deutschland anzuerkennen und den Reise- und Transitverkehr innerhalb der geteilten Stadt und zum Bundesgebiet mit der anderen Seite zu regeln. Das Viermächte-Abkommen bietet die Grundlage für weitere vertragliche Beziehungen. Willkürlich bleibt das Verhalten der DDR-Staatsführung gegenüber Berlin (West) in den Jahren bis 1972. Noch 1967 behauptet Walter Ulbricht in der Volkskammer, daß Berlin (West) auf dem Territorium der DDR liege, rechtlich zu ihr gehöre, aber zur Zeit einem Besatzungsregime unterworfen sei.

So hartnäckig sich die DDR weigert, Berlin (West) als ein Land anzuerkennen, dessen Bevölkerung sich eindeutig zur Gesellschaftsordnung der Bundesrepublik Deutschland bekennt, so intensiv arbeitet sie daran, Berlin (Ost) als Hauptstadt der DDR zu einer Metropole mit Weltniveau werden zu lassen. Berlin (Ost) wird geistig-kulturelles Zentrum der DDR. Aber nicht nur Museen, Theater, Galerien, Kinos und ein gutes gastronomisches Netz machen das Leben in der »Hauptstadt« für viele Bürger immer attraktiver. Die Tatsache, daß die Stadt auch industrieller Mittelpunkt, Sitz des Verwaltungs- und Staatsapparates, Zentrum des Verlagswesens und traditionelle Stätte der Forschung und Wissenschaft (Humboldt-Universität und Akademie der Wissenschaften) ist, zieht die Menschen nach Berlin. Berlin (Ost) – unbestritten die größte Stadt der DDR – wächst jedoch auf Kosten des ganzen Landes. Denn für das Wohnungsbauprogramm und die Altstadtsanierung bzw. die Neugestaltung des Stadtteils Berlin-Mitte werden nicht nur anläßlich der 750-Jahr-Feier besondere Fördergelder freigegeben. Die Nähe zum anderen, ökonomisch stärkeren System, das Vorhandensein von West-Berlin zwingt die Regierung der DDR auch dazu, die Versorgungslage stets über dem Niveau des Landes zu halten.

In Berlin wird vieles gesagt, was in der Republik noch unausgesprochen bleibt, wird dem allgemeinen Ärger schneller Luft gemacht. »Alte« Berliner bedauern nicht nur die Teilung durch die Mauer, sondern sagen dies auch offen. Sie kennen ja noch die Zeit, da man eine Stadt war. Auch viele neu hinzugezogene Ost-Berliner spüren und sehen das. Jeder, der vom Fernsehturm blickt, bekommt ein Bewußtsein für die Gesamtgröße der Stadt und denkt darüber nach, »was wäre, wenn ...«. Beide Teile der Stadt können und wollen sich nicht leugnen.

Berlin (West) wird zwar durch die Mauer zu einer Art Insel und büßt so seine Bedeutung als Zentrum ein, aber keine noch so restriktive Maßnahme der DDR bringt die Menschen dazu, ihre Stadt aufzugeben. Eine Jetzt-erst-recht-Haltung ist für die Berliner und die sich mit ihnen verbunden fühlenden Menschen kennzeichnend. So wird nichts aus dem Vorsatz von Walter Ulbricht, der Stadt den Lebensnerv abzuschnüren. Im Gegenteil, die Maßnahme, Berlin (Ost) zur Hauptstadt zu machen, facht den Ehrgeiz hier nur zusätzlich an.

Berlin (West) wird ebenfalls zu einem geistig-kulturell wichtigen Ort – durch eigene Bemühungen wie auch das große Engagement der Bundesrepublik. Es gibt nicht nur zahlreiche Theater und Musikbühnen, Museen und Galerien, auch eine kreative Kleinkunst- und Alternativszene macht das Leben bunt und vielfältig. Als größte Universitätsstadt Deutschlands hat Berlin (West) ein großes Wissenschafts- und Forschungspotential. Zahlreiche Hochschulen und Institute beweisen das. Nicht nur industrielle Förderung – die Industrie ist immer noch das Rückgrat der Stadt –, sondern auch ein Programm zum Ausbau Berlins als Kongreß-, Messe- und Ausstellungszentrum sowie Informations- und Tourismuszentrum werden von der Bundesregierung und auch europäischen Institutionen unterstützt.

Dennoch hat West-Berlin bevölkerungspolitisch große Probleme. Viele Menschen verlassen die Stadt auch, weil kaum Wohnraum zu bekommen ist und es im Bundesgebiet lukrativere Arbeitsmöglichkeiten gibt. Außerdem verkraftet nicht jeder die abgeschnittene Lage Berlins. Manche Beschränkungen in dieser Stadt kann man nur mit einem Schuß Idealismus und Liebe ertragen. Die Reise- und Transitwege mit Kontrollen bzw. Wartezeiten, das Fehlen eines

nahen Umlandes, die große räumliche Trennung vom Bundesgebiet bringen Nachteile mit sich. Die Nähe zu Berlin (Ost) und die Tatsache, daß man Berlin (West) nur auf dem Weg durch die DDR oder auf dem Luftweg verlassen kann, fördern aber gleichzeitig ein größeres Problembewußtsein dem Nachbarn gegenüber. Die in den letzten Jahren ständig gestiegene Zahl der Besucher – trotz des auf 25 DM angehobenen Mindestumtauschsatzes – spricht dafür.

Seit dem 9. November 1989 haben sich für beide Teile Berlins völlig neue Perspektiven ergeben. Allein schon die Entwicklungen in Polen, Ungarn, ja in ganz Osteuropa und jetzt auch in der DDR lassen neue Dimensionen erkennen, die nicht nur die Situation der Stadt, sondern auch die der Bundesrepublik Deutschland und Europas in der Zukunft prägen und nachhaltig beeinflussen werden.

Das Jahr 1989 sollte unter ganz anderen Vorzeichen in die Geschichte der Deutschen Demokratischen Republik eingehen. Im Oktober waren große Feierlichkeiten für den 40. Gründungstag geplant, und entsprechend lauteten auch die Parolen für die Bevölkerung. Es kam jedoch völlig anders.

Wie blind die Führung der DDR für die Realitäten und die Stimmung im Land war, beweist die Äußerung Erich Honeckers zur Beginn des Jahres, daß die Mauer noch in 50 und auch in 100 Jahren bestehen werde. Der Unmut der Bevölkerung wächst. Auch andere Regierungsmitglieder negieren, daß in der DDR Veränderungen wie in der Sowjetunion, Ungarn oder Polen nötig seien. Aber Aussagen wie »Wenn der Nachbar tapeziert, ist das für uns kein Grund, dies auch zu tun« (Kurt Hager) stoßen nicht mehr auf einhellige Zustimmung, verärgern selbst eingefleischte Genossen. Nicht erst Gorbatschow, Perestroika und Glasnost finden in der DDR großen Anklang. Schon die Solidarnosc-Bewegung verfehlt nicht ihre Wirkung. Die politischen Veränderungen in der Sowjetunion, Polen und Ungarn finden bei der Bevölkerung nicht nur breite Sympathien, wecken

Vorstellungen eines anderen Sozialismus, der ohne ständige Bevormundung von oben, Schönfärberei durch die Partei und Hofberichterstattung der Medien auskommt. Schon seit Jahren stellen mehr und mehr DDR-Bürger Ausreiseanträge, da sie in ihrer Heimat keine Zukunft mehr für sich sehen. Der Starrsinn der »alten Herren« in der Regierung fördert eine Situation, in der viele Menschen nicht mehr an die Parteiparolen glauben mögen. Zu anders ist ihr eigenes Leben, und zu wenig bemüht sich der Staat, auf diesen Widerspruch einzugehen. Erich Honecker hat zwar seit Jahren vom »gemeinsamen Haus in Europa« gesprochen, und seine Auslandsreisen führten der Bevölkerung vor, wie groß die Welt ist. Dies durften die eigenen Bürger bisher nur im Fernsehen erleben. Freie Reisemöglichkeiten gab es nur für Privilegierte und für jene mit Westverwandtschaft.

Auch die wirtschaftliche Situation ist nicht ohne Widersprüche. Jeder erlebte an seinem eigenen Arbeitsplatz ständige Mängel und daß am Jahresende die Pläne korrigiert werden mußten. Nur durch diese »Plankorrektur« konnte den Mitarbeitern eine angemessene Prämie erhalten werden. Aber Jahr für Jahr wurde voller Stolz neues Wachstum der Wirtschaft und des Wohlstandes der Bevölkerung verkündet. Das konnte einfach nicht stimmen, denn auch die Versorgung des Landes mit Konsumgütern verschlechterte sich.

Die Wohnungssituation spitzt sich zu, obwohl für Ende der 90er Jahre eine Lösung dieses Problems angekündigt worden ist. Kirchliche Gruppen und Umweltbewegungen, getragen von jungen Leuten, auch aus der FDJ, sensibilisieren die Bevölkerung für neue Themen: persönliches Friedensengagement, Verweigerung des Armeedienstes an der Waffe, Diskussion über Wehrdienst und Staatsbürgerunterricht, Waldsterben und Schädigung der Gewässer durch Industrie und Landwirtschaft gehören dazu. Der Widerspruch zwischen dem verfassungsmäßig festgeschriebenen Schutz der Umwelt und der Realität wird jedermann bewußt.

Einen ersten Höhepunkt erleben die Diskussionen in den Kirchen und im Land nach Veröffentlichung der offiziellen Wahlergebnisse. Von der Kirche beauftragte und mit Material versehene Anwälte klagen die Regierung des Wahlbetrugs an. Die Anklage wird zwar formal abgewiesen, erhält sich jedoch im Bewußtsein der Menschen. Bei vielen, gerade auch älteren Leuten setzt erst jetzt das Nachdenken über die »Unfehlbarkeit« der SED ein. Die Befürwortung der extremen Maßnahmen der chinesischen Regierung gegenüber den friedlichen Demonstranten durch die Staatsführung der DDR wird von der Bevölkerung mit Unverständnis und Entsetzen aufgenommen. Für viele ist es ein Grund mehr, der DDR den Rücken zu kehren. In einem Staat, der solche Maßnahmen für richtig hält, könne man nicht leben. Einige befürchten sogar für sich selbst, das Schicksal chinesischer Studenten zu erleben.

Die Öffnung der Grenzen Ungarns zu Österreich – Ungarn ist schon seit Jahren bevorzugtes Reiseziel vieler DDR-Bürger – gibt Zehntausenden die Möglichkeit, die DDR zu verlassen, ohne einen Ausreiseantrag stellen zu müssen. Andere versuchen wiederholt, über die Ständige Vertretung der Bundesrepublik oder die Botschaften in Prag und Warschau auszureisen. Anfangs weigert sich die Regierung der DDR, auf die Forderungen der zur Ausreise Entschlossenen einzugehen, gibt dann jedoch nach. So können mehrmals Tausende die Botschaften in Sonderzügen Richtung Westen verlassen.

Auch die Menschen sind in Bewegung geraten, die in der DDR, ihrer Heimat, bleiben wollen. Mittel- und Ausgangspunkt einer Welle von Massendemonstrationen, die Veränderungen in ihrem Land fordern, ist Leipzig. Im September nehmen die als »Montagsdemonstrationen« bekannt gewordenen Kundgebungen ihren Anfang. Zur Herbstmesse beginnt sich auch die Weltöffentlichkeit zu interessieren. Die Leipziger rufen: »Wir bleiben hier«, »Wir sind das Volk«, »Freie Wahlen«, »Stasi weg« – sie verlangen die Anerkennung der Bürgerbewegung

»Neues Forum« und die Streichung des Artikels 1 der Verfassung der DDR, der das Machtmonopol der SED begründet. Die Demonstrationen verbreiten sich über das ganze Land, weitere Zentren werden Berlin und Dresden. Erich Honecker, der am 25. September nach mehrwöchiger Krankheit seine Amtsgeschäfte wieder aufnimmt, tritt für einen harten Kurs gegenüber den Demonstranten ein. Am 7. Oktober, dem offiziellen Gründungsfeiertag, kommt es zu gewaltsamen Ausschreitungen der Sicherheitskräfte gegen die friedlich Protestierenden am Prenzlauer Berg in Berlin. Über 700 Personen werden vorläufig festgenommen, zum Teil für Tage inhaftiert. Gorbatschows Satz »Wer zu spät kommt, den bestraft das Leben« hat Honecker nicht gehört oder nicht hören wollen. Dresdens Bezirkschef Hans Modrow und sein junger Oberbürgermeister Wolfgang Berghofer gehen einen anderen Weg. Sie treffen sich schon am 9. Oktober mit Vertretern der Opposition und setzen ein Signal für viele SED-Verantwortliche. Dadurch wird verhindert, daß es bei weiteren Demonstrationen – mit Ausnahme von Halle – zu schlimmeren Auseinandersetzungen zwischen Sicherheitskräften und Demonstranten kommt.

Der große Dialog beginnt bescheiden, seine Ausdehnung auf Kreise der SED-Regierung findet erst mit der Ablösung Erich Honeckers durch Egon Krenz am 18. Oktober statt. Ein politischer Frühling erfaßt das ganze Land. Forderungen der Bürger werden plötzlich offen diskutiert, Maßnahmen zu ihrer Durchsetzung werden entweder sofort in Angriff genommen oder Schritte zu ihrer Durchführung von der Regierung angekündigt. Ein neues Reisegesetz wird gefordert, konzipiert und von der Volkskammer und der FDJ als unzureichend verworfen. Es scheint noch ein langer Weg zu sein bis zur allgemeinen Reisefreiheit.

Plötzlich jedoch, am 9. November, ist es soweit: Politbüromitglied Günter Schabowski verkündet – fast beiläufig – die sofortige Öffnung der Grenzen.

Die darauf folgenden Stunden sind für den, der sie miterlebt hat, unvergeßlich. Grenzenloses Glücksgefühl und riesige Wiedersehensfreude vereint die Menschen aus beiden Teilen Berlins mitten in der Nacht. Die anfängliche Ungläubigkeit, daß die Mauer tatsächlich offen ist, die Berliner ohne bürokratische Hindernisse und Kontrollen zusammenkommen können, wird durch die Realität widerlegt. Nicht nur Ost-Berliner kommen zu Fuß, per Auto oder Bahn ungehindert nach West-Berlin, auch umgekehrt nutzen einige West-Berliner die Gelegenheit, noch in dieser Nacht spontan Freunde und Verwandte im anderen Teil der Stadt zu besuchen. Der riesige Andrang macht Gesetze und Hüter funktionslos, keiner fragt nach Visum und Mindestumtausch, nach Personalausweis und Stempel. Die Mauer am Brandenburger Tor wird von flanierenden Menschen bevölkert, Euphorie beherrscht den Kurfürstendamm. Der Regierende Bürgermeister von Berlin Walter Momper läßt seinen Gefühlen freien Lauf: »Wir sind jetzt das glücklichste Volk auf der Welt.« Die ganze Stadt ist in Volksfeststimmung. Nicht verordnet, sondern aus dem Herzen heraus begehen die Berliner ihr schönstes Fest mit Sekt, Blumen, Tränen und Lachen.

Innerhalb von wenigen Stunden ist die Stadt plötzlich, seit Jahrzehnten wieder, Mittelpunkt der Welt: Die Öffnung der Mauer ist nicht nur für die Deutschen, die Europäer, sondern auch international das Nachrichtenthema. Dies Wochenende erlebt Berlin im Freudenrausch. Der Andrang der Besucher aus dem Osten legt den Autoverkehr in der Innenstadt lahm, die BVG ist wegen Überfüllung der Bahnhöfe nicht mehr in der Lage, den Betrieb der U-Bahn reibungslos abzuwickeln. Abfallberge bleiben nicht nur in der City liegen, da die Stadtreinigung überfordert wurde. Trabant und Wartburg drängen sich an der Grenze und verstopfen ganze Straßenzüge. Aber die Berliner nehmen dies alles gelassen.

Als am Montag das Abgeordnetenhaus zusammentritt, ist klar, der Berliner Senat braucht

Hilfe, um die neue Situation meistern zu können. Die Bundesregierung will erst in einem Gespräch mit dem Regierenden Bürgermeister zusätzliche Maßnahmen zur Unterstützung beschließen – Soforthilfen aus Bonn bleiben aus. Die Berliner helfen sich selber, und sie tun es diesmal gemeinsam.

Um die vorhandenen Übergänge zu entlasten, werden weitere geöffnet, die Offiziellen beider Seiten appellieren an alle, das Auto zu Hause zu lassen, die Polizeizentralen nehmen direkten Kontakt auf, stillgelegte U-Bahnhöfe erwachen zum Leben, Buslinien pendeln zwischen Ost und West, fahren u.a. bis nach Nauen, Potsdam und Teltow. West-Berlin ist keine Insel mehr, sondern eine Stadt mit völlig neuen Möglichkeiten für sich und ihre Menschen. Die beiden Teile Berlins haben die Chance, in einem sich verändernden Europa gemeinsam wieder zu einer Metropole zu werden.

West-Berlin hat keine Berührungsängste. Die Stadt kennt beide Systeme aus der Nähe. Hier gibt es genügend Toleranz und geistiges Potential, um als Großstadt mit besonderem Rang in besonderer geographischer Lage eine Rolle zu spielen. Die erworbenen Erfahrungen der Zusammenarbeit zwischen Berlin und Berlin, zwischen beiden Teilen Deutschlands, zwischen Ost und West können auf vielen Ebenen Vorbild für ganz Europa sein. In Berlin sind erste praktische Schritte bereits eingeleitet, weitere im Gespräch. Hier sind die Wege kurz. Minuten nur von West nach Ost, von einem System in ein anderes – Europa im Nahverkehr – welche europäische Metropole kann das bieten?

BERLIN – REBIRTH OF A EUROPEAN METROPOLIS?

Until August 13, 1961, Berlin remains an undivided city for Berliners – despite an inner-city border, two different currencies, and added difficulties in day-to-day life. In the hearts of the people, the city is indivisible, although East Berlin's ties to the German Democratic Republic and West Berlin's ties to the Federal Republic of Germany grow stronger all the time. The city continues to cope with its own contradictions. People get together and take advantage of the opportunities both sides of the city present. Ideologues claim that the two systems are inherently incompatible. When the Wall goes up in August of 1961, no one believes that this will mean a long-term separation – certainly not for twenty-eight long years. In the meantime, a whole new generation has grown up which knows Berlin only as a divided city.

From 1961 until 1963, communication between the two parts of the city is cut off completely, until the first border crossing agreement allows West Berliners to pay brief visits to East Berlin. Until the Quadripartite Agreement of June 3, 1972, no contractual accord of any kind exists which would require the GDR to recognize West Berlin's ties to the FRG and set policies regarding visitor and transit traffic both within the divided city and to West Germany. The Quadripartite Agreement forms the basis for further contractual relations. Until 1972, the GDR leadership continues to behave arbitrarily toward West Berlin. As late as 1967, Walter Ulbricht states in the People's Parliament that West Berlin lies within the territory of the GDR and legally belongs to the GDR, but is currently subject to an occupying regime.

The GDR stubbornly refuses to recognize West Berlin as a city-state whose people have explicitly declared their support for the social order of the Federal Republic of Germany. At the same time, the GDR makes an intensive effort to establish East Berlin – the capital of the German Democratic Republic – as a metropolis with an international reputation. East Berlin becomes the intellectual and cultural center of East Germany. But it is not only the variety of museums, theaters, galeries, cinemas, and gastronomic offerings which make life in the "Hauptstadt," as the East Germans refer to their capital, more and more attractive. People are also drawn to East Berlin as a center of industry, administration, politics, and publishing. The traditional leading centers of research and science – the Humboldt University and the Academy of Sciences – are also situated in East Berlin. But East Berlin, without doubt the largest city in the GDR, grows at the expense of the rest of the country. Especially large sums are invested in the construction of housing, restoration of the old city, and the redesign of the district Berlin-Mitte both well before and on the occasion of the city's 750th birthday celebration. The capital's proximity to the other, economically stronger system, and the presence of West Berlin, also require the East German government to keep East Berlin well supplied, which means that its standard of living is consistently above that of the remainder of the country.

Sentiments which remain unspoken in the rest of the republic are expressed in East Berlin – general discontent is aired more freely. "Old" Berliners openly state their anger at being divided by the Wall. Of course, they still remember what it was like to live in an undivided city. Many non-native East Berliners see and feel this as well. Anyone looking at the view from the television tower gets a feel for the size of the entire city and can't help wondering, "What if …?" Neither side of the city can or wants to deny the existence of the other.

West Berlin may have become an island of sorts because of the Wall and lost its significance as a metropolis, but the people refuse to give up on their city no matter how restrictive the GDR's policies become. West Berliners and those with ties to the city develop a characteristically defiant attitude of "now more than ever." Thus, Walter Ulbricht's plan to cut off the city's vital nerve backfires. The decision to proclaim East Berlin as capital of the GDR only fans the flames of West Berliners' ambitions for their city.

West Berlin also becomes an important intellectual and cultural center – both on its own initiative and with substantial support from the Federal Republic of Germany. A wide variety of theaters, concert halls, museums and galleries, as well as a creative cabaret and alternative scene, assure that life in West Berlin is colorful and diverse. As the largest university city in Germany, West Berlin has great potential in the areas of science and research, as evidenced by its many colleges and institutes. Industry continues to be a backbone of the city: stimulation of industry, and programs to establish Berlin as a center of conventions, trade fairs and exhibitions, as well as of information and tourism, is supported both by the federal government and by various European institutions.

In spite of all this, Berlin experiences major population problems. Many people leave the city because of the bad housing situation and because West Germany offers more lucrative employment opportunities. Also, not everyone is able to cope with Berlin's isolated situation. Some of this city's limitations can be conquered only with a generous portion of both idealism and affection. These disadvantages include long transit journeys, with their accompanying border controls and long lines, the inaccessibility of the surrounding countryside, and Berlin's wide physical separation from the territory of the Federal Republic. However, a positive aspect of the city's proximity to East Berlin, and the fact that one can leave Berlin only by crossing through the GDR or by air, is a greater consciousness of our closest neighbor's problems. The ever-increasing stream of visitors to the East – despite the rise in the compulsory exchange to 25 DM – is witness to this.

The events of November 9, 1989 have opened up totally new perspectives for both sides of Berlin. Recent developments in Poland, Hungary – in all of Eastern Europe and now in the GDR as well – open up new dimensions which will have a lasting influence not only upon the development of this city, but also upon West Germany and Europe far into the future.

East Germany's leadership intended the year 1989 to go down in history quite differently. A large-scale celebration was planned to commemorate the 40th anniversary of the country's founding; political propaganda reflecting this was spread throughout the country. However, things didn't go according to plan.

The GDR government remains completely oblivious to the actual atmosphere prevailing in the country: at the beginning of the year, Erich Honecker proclaims that the Wall will still be standing in 50 and even 100 years. Popular discontent grows. Other leaders also deny that changes such as those in the Soviet Union, Hungary and Poland are necessary in the GDR. Even dyed-in-the-wool Party comrades are angered by statements such as "Just because our neighbor puts up new wallpaper doesn't mean that we have to" (Kurt Hager). Not only do Gorbachev, glasnost and perestroika find widespread approval in the GDR: the Polish Solidarity movement has its effect as well. The political changes in the Soviet Union, Poland and Hungary are widely supported by the East German population. They awaken images of a different kind of socialism, characterized neither by constant decision-making from above, nor glossing-over of problems by the Party, nor feudal-style news media. More and more GDR citizens apply for emigration visas every year because they cannot envision a satisfying future in their native country. The stubbornness of the "old men" in power also fosters a situation in which many people tire of the Party slogans. Their own lives are too different, and the state shows too little willingness to confront this contradiction. Erich Honecker has been speaking of a "common European house" for several years, and his many trips abroad show his compatriots how wide the world is. But the "normal" population is allowed to experience this only on television – only the privileged and those with relatives in the West are allowed the freedom to travel.

Contradictions exist in the economic situation as well. Everyone experiences constant shortages in the workplace; production plans have to be adjusted downward at the end of each year. Only because of this "plan correction" are employees able to receive their bonuses at all. However, the government boasts proudly each year of renewed economic growth and the increasing wealth of the population. But something is wrong, as the deteriorating supply of consumer goods demonstrates.

The housing situation, too, becomes ever more critical, despite government predictions that the problem would be solved by the late 1990s. Church groups and the environmental movement, supported largely by young people – including members of the FDJ (Free German Youth, the Socialist Unity Party's youth organization) – sensitize the population to new issues, including individual activism for peace, refusal to serve in the military, discussions of military service and mandatory civics classes, the destruction of forests, and pollution of water resources through industry and agriculture. Everyone becomes conscious of the contradiction between the commitment to environmental protection anchored in the constitution and the actual situation. The discussions, both within the churches and within the country as a whole, reach their first high point following publication of the official election results. Attorneys hired by the churches and in possession of documented evidence accuse the government of election fraud. The complaint is formally dismissed, but remains in the consciousness of the population. Many people, especially among the older population, now begin to question the "infallibility" of the SED for the first time. The GDR population is shocked and incredulous when the government announces its support of the extreme measures taken by the Chinese government against peaceful demonstrators. For many, this is one more reason to turn their back on the GDR. They find themselves unable to live in a state whose government endorses such measures. Some even express the fear that they will experience the same fate as the Chinese students. Hungary has been a favorite holiday destination of GDR citizens for years, and when it opens its borders to Austria, tens of thousands take advantage of the opportunity to leave the GDR without obtaining the required official emigration visa. Again and again, others attempt to leave by taking refuge in West Germany's permanent mission in East Berlin, or in its Embassies in Prague and Warsaw. At first, the GDR government refuses to bow to the demands of those who have decided to leave by this route. It eventually relents, however, and several thousand people are able to leave the Embassies and make their way West in specially chartered trains.

In the meantime, East Germans wishing to remain in their native country have taken action as well. Leipzig becomes both the initiator and the center of a wave of mass demonstrations calling for change. The "Monday demonstrations," as these rallies have come to be known, begin in September. The rest of the world begins to take an interest during the Autumn Trade Fair in Leipzig. The Leipzigers keep repeating their calls: "We're staying here," "We are the People," "Free elections," "Down with Stasi" (the notorious secret police), demanding recognition of the popular movement "New Forum," and the removal of that part of Article 1 of the GDR's constitution which guarantees the power monopoly of the SED. The demonstrations spread to the entire country: Berlin and Dresden are also in the forefront. Erich Honecker resumes control of the affairs of state following a lengthy illness, and supports harsh treatment of the demonstrators. On October 7, 1989 – the official holiday commemorating the GDR's 40th birthday – security forces react violently to the peaceful protestors in Berlin's Prenzlauer Berg district. They temporarily arrest over 700 people; some remain imprisoned for several days. Honecker apparently didn't hear – or perhaps refused to hear – Gorbachev's statement that "life punishes those who come too late." But Dresden's party chief Hans Modrow and its young mayor Wolfgang Berghofer *were* listening: as early as October 9, they begin meeting with representatives of the opposition, thereby sending a signal to many SED leaders. This prevents subsequent demonstrations from turning into violent clashes between protestors and security forces – with the exception of Halle. The all-important dialogue begins modestly. Members of the SED government become involved only when Egon Krenz ousts Erich Honecker on October 18. A political spring grips the entire country. All of a sudden, citizens' demands are discussed openly; the government either implements them immediately or announces steps toward their implementation. Demonstrators and groups demand a new law on travel; a draft law is published and immediately rejected by both the People's Parliament and the FDJ. The road towards complete freedom of travel appears to be a long one. But appearances are deceiving: suddenly, on November 9, the time has come. Politburo member Günter Schabowski announces – almost in passing – the immediate opening of the borders.

The hours which follow are unforgettable for all those who experienced them. In the middle of the night, boundless happiness and the joy of reunion engulfs people in both parts of the city.

At first Berliners cannot believe that the Wall is actually open, that they can come together without bureaucratic delays and controls, a disbelief soon dispelled by reality. East Berliners walk, drive, or take the train to West Berlin unhindered; and in the course of the night, many West Berliners take this unprecedented opportunity for spontaneous visits to their friends and relatives in the other part of Berlin. The enormous crowds make laws and guards superfluous: nobody demands a visa or compulsory exchange, an identity card or a stamped passport. People stroll on top of the Wall at the Brandenburg Gate, and a euphoric atmosphere prevails on the Kurfürstendamm, West Berlin's main street. Berlin's governing mayor Walter Momper speaks for everyone when he proclaims his own feelings: "Tonight, we're the happiest people in the world." The party atmosphere infects the entire city. This celebration is spontaneous, not staged: Berliners celebrate their finest moment from the heart – with champagne, flowers, tears and laughter.

Within a few hours, the city suddenly becomes the center of international attention for the first time in decades: the opening of the Wall makes headlines not only in Germany and in Europe, but all over the world. Berlin spends the weekend in delirious joy. The visiting crowds from the East bring downtown car traffic to a standstill. Underground stations are so overcrowded that the BVG (Berlin Public Transportation Authority) can no longer run the trains without delays. Piles of garbage remain uncollected all over the city, since Berlin's trash collection service is overwhelmed. East German Trabant and Wartburg automobiles crowd the borders and cause kilometer-long traffic jams. But Berliners take it all in stride.

By the time the city's House of Representatives meets on Monday, it has become clear that the Berlin Senate needs help in mastering the new situation. The federal government intends to decide upon supportive measures only following a discussion with the governing mayor – immediate help from Bonn is not forthcoming. The Berliners must help themselves – and this time, they are able to do it together.

Additional border crossings are opened in order to relieve some of the congestion at the existing checkpoints. Officials on both sides issue a plea for everyone to leave their cars at home. East and West Berlin police headquarters establish direct contact with each other; dusty Underground stations, shut down for years, suddenly bustle with new life. Buses commute from East to West and back again; routes to Nauen, Potsdam, Teltow and other cities are reestablished. West Berlin is no longer an island, but rather a city with new possibilities for itself and for its people. The two parts of Berlin once again have the chance to become a common metropolis in a changing Europe.

West Berlin is not afraid of intensified contacts. The city knows both systems well. We possess enough tolerance and intellectual potential to assume our special role as a major city in a unique geographic position. The experience gained from cooperation – between Berlin and Berlin, between the two Germanys, between East and West – can serve on many levels as an example for all of Europe. The first practical steps have been taken in Berlin, and more are in preparation. The distances are short: it takes only minutes to travel from West to East, from one system to the other: inter-European traffic is local here. Which other European metropolis has so much to offer?

BERLIN – RENAISSANCE D'UNE MÉTROPOLE EUROPÉENNE?

Jusqu'au 13 août 1961, Berlin reste pour les Berlinois une ville non partagée, en dépit de la frontière intérieure, des devises différentes et de nombreuses difficultés quotidiennes. Dans le cœur des habitants elle ne peut être divisée, malgré les liens étroits qui unissent Berlin (Est) à la République démocratique allemande et Berlin (Ouest) à la République fédérale d'Allemagne. La ville vit avec ses contradictions. Les hommes se rencontrent et profitent des avantages offerts des deux côtés. Les idéologistes parlent de l'intransigeance des deux systèmes. En août 1961, personne ne croit que la construction du Mur puisse être une séparation de longue durée – même de 28 ans. Entre-temps, une nouvelle génération a grandi, ne connaissant la ville que séparée par le Mur.

De 1961 à 1963, toute communication entre les deux parties de la ville est interrompue. Le premier accord de laissez-passer permet aux Berlinois de l'Ouest de se rendre pour une courte durée dans la partie Est. Jusqu'à la signature et l'entrée en vigueur de l'Accord Quadripartite le 3 juin 1972, il n'existe aucun accord qui puisse contraindre la RDA à reconnaître l'attachement de Berlin (Ouest) à la République fédérale d'Allemagne en ce qui concerne le trafic touristique et transitaire à l'intérieur de la ville partagée et jusqu'au territoire fédéral. L'Accord Quadripartite propose une base pour de plus amples relations contractuelles. Pendant ces années et jusqu'en 1972, l'attitude du gouvernement de la RDA face à Berlin (Ouest) reste vague.

En 1967, Walter Ulbricht prétend, devant le parlement de la Chambre du peuple, que Berlin (Ouest) se trouve sur le territoire de la RDA. Légalement elle lui appartient, toutefois, elle est actuellement soumise à un régime d'occupation.

La RDA refuse obstinément de reconnaître Berlin (Ouest) en tant que pays dont la population s'oriente vers la communauté de la République fédérale d'Allemagne. Pourtant, elle œuvre avec acharnement, pour que Berlin (Est), capitale de la RDA, se transforme en une métropole d'un niveau international. Berlin (Est) devient le centre intellectuel et culturel de la RDA. Non seulement les musées, les théâtres, les galeries, les cinémas et un bon réseau gastronomique rendent la vie de la capitale de plus en plus attrayante pour un grand nombre de citoyens. Mais aussi le fait que la ville soit le centre industriel, le siège de la machine administrative et étatique, le centre de l'édition et la place principale de recherches et de sciences (l'Université de Humboldt et l'Académie des Sciences), attirent également la population à Berlin. Berlin (Est) – incontestablement la plus grande ville de la RDA – grandit au détriment du reste du pays. Des subventions spéciales ont été accordées non seulement pour la célébration du 750ème anniversaire, mais aussi pour mener à bien le programme de construction de logements et de rénovation de la vieille ville, soit le remaniement du centre ville. La proximité d'un système économique plus fort, l'existence de Berlin-Ouest contraignent aussi le régime Est-allemand à maintenir le niveau d'approvisionnement toujours au-dessus du niveau du pays.

A Berlin (Ouest) on ose dire ce qui, en République démocratique, reste imprononçable: on donne libre cours à son irritation. Les «anciens» Berlinois ne regrettent pas seulement la séparation de la ville, mais le disent ouvertement. Ils se souviennent encore parfaitement du temps où la ville n'était qu'une. Beaucoup de nouveaux Berlinois de l'Est le ressentent. Quiconque jette un coup d'œil depuis la tour de la télévision prend conscience de l'immensité de la ville et se met à penser: «Comment serait-ce, si …». Des deux côtés de la ville, on ne peut et ne veut nier l'existence de l'autre partie.

Bien que Berlin (Ouest) devienne, de par le Mur, une sorte d'île et perde sa signification de centre, aucune mesure, aussi restrictive soit-elle, n'amène les hommes à abandonner la ville. Une attitude obstinée caractérise les Berlinois et ceux qui s'associent à eux. Ceci empêche donc Walter Ulbricht de bloquer la ville de son nerf vital. Au contraire, les mesures visant Berlin (Est) à devenir la capitale, attisent encore plus les ambitions de l'autre côté.

Berlin (Ouest) devient de même un haut lieu intellectuel et culturel, ceci grâce aux efforts et aussi à l'important engagement de la République fédérale. Un nombre important de théâtres et de scènes musicales, de musées et de galeries ainsi que des cabarets et une scène alternative agrémentent la vie. En tant que principale ville universitaire d'Allemagne, Berlin (Ouest) possède un important potentiel scientifique et de recherche. Le nombre important d'établissements supérieurs et d'instituts le prouvent. Le gouvernement de la République fédérale et les institutions européennes soutiennent non seulement la promotion industrielle – l'industrie est toujours la colonne vertébrale de la ville – mais aussi un programme de développement visant à faire de Berlin un centre de congrès, et d'expositions, de tourisme et d'information.

Toutefois, Berlin (Ouest) a d'énormes problèmes de démographie. Beaucoup de gens quittent la ville à cause de la crise du logement et parce qu'il existe sur le territoire fédéral des possibilités de travail plus lucratives. En outre, tout le monde n'est pas forcément capable d'endurer la situation d'isolement de Berlin. Les maintes restrictions de la ville ne peuvent être supportées qu'avec un élan d'idéalisme et d'affection. Les itinéraires et les voies de transit avec contrôle et temps d'attente, le manque d'environnements proches, la distance qui sépare la ville du reste des territoires fédéraux portent préjudice. La proximité de Berlin (Est) et le fait que l'on ne peut quitter Berlin (Ouest) qu'en traversant la RDA ou par avion, favorise néanmoins la prise de conscience des problèmes de leurs voisins Est-allemands. La preuve en est que le nombre de visiteurs augmente continuellement au cours des dernières années, malgré le montant minimum de change obligatoire amené à DM 25,-.

Depuis le 9 novembre 1989, des perspectives totalement nouvelles se dessinent pour les deux parties de Berlin. A eux seuls les développements survenus en Pologne, en Hongrie, dans toute l'Europe de l'Est et maintenant aussi en République démocratique allemande vont marquer d'une empreinte et influencer durablement non seulement la situation de la ville mais aussi celle de la République fédérale d'Allemagne et de l'Europe.

L'année 1989 aurait dû entrer d'une manière toute différente dans l'histoire de la République démocratique allemande. En octobre d'importantes festivités étaient prévues pour les 40 ans de sa fondation et les slogans adressés par le peuple devaient les refléter. Il en fut tout autrement.

La déclaration d'Erich Honecker en début d'année, comme quoi le Mur restera encore en place durant les 50 et même les 100 années à venir, prouve à quel point les dirigeants de la RDA sont aveugles face à la réalité et à l'état d'esprit qui règnent dans le pays. La colère du peuple croît. D'autres membres du gouvernement nient encore l'utilité des changements en RDA similaires à ceux de l'Union soviétique, de la Hongrie ou de la Pologne. Des déclarations telles que: «si le voisin tapisse, ce n'est pas une raison pour nous d'en faire de même» (Kurt Hager) ne rencontrent plus une approbation unanime, mais fâchent même les camarades les plus endurcis. Gorbatchov, la perestroïka et la glasnost reçoivent un excellent accueil auprès du peuple.

Le mouvement «Solidarité» ne demeure pas non plus sans effet. Les changements politiques de l'Union soviétique, de la Pologne et de la Hongrie n'obtiennent pas uniquement un écho favorable, mais ils créent aussi l'image d'une autre forme de socialisme, sans tutelle permanente, sans idéalisation provenant du Parti et sans comptes rendus filtrés des médias. Ne voyant pas de débouchés dans leur pays depuis des années déjà, de plus en plus de citoyens Est-allemands font des demandes d'émigration. L'entêtement des «vieux messieurs» du gouvernement favorise une situation dans laquelle un nombre toujours croissant d'hommes ne peuvent plus s'identifier à la parole du Parti. Leur propre vie est totalement différente, et l'Etat entreprend trop peu pour y remédier. Certes Erich Honecker a parlé, durant des années, de «la maison commune de l'Europe», et ses voyages montraient au peuple à quel point la terre est immense. Mais jusqu'ici les citoyens n'ont connu cela qu'à travers la télévision. Les autorisations de voyage n'étaient accordées qu'aux privilégiés et aux personnes ayant des parents à l'Ouest.

La situation économique également n'est pas sans contradiction. Chacun réalisait à sa propre place de travail qu'il existait des défauts permanents et que les plans devaient être rectifiés. Uniquement grâce à cette «correction de plan», le travailleur pouvait obtenir une prime appropriée. D'année en année, on proclama avec fierté une nouvelle expansion de l'économie et de la prospérité du peuple. Cela ne pouvait être vrai puisque l'approvisionnement du pays en biens de consommation s'était dégradé.

La situation du logement s'aggrave, bien qu'une solution à ce problème soit annoncée pour la fin des années 90. Soutenus principalement par des jeunes, y compris des membres du FDJ (organisation officielle de la jeunesse en RDA), des groupements religieux et des mouvements écologistes tentent de sensibiliser le peuple face aux thèmes: engagement personnel pacifiste, refus du port d'armes. Des débats s'ouvrent sur le service militaire et l'instruction civile, la mort des forêts ainsi que la pollution des eaux due à l'industrie et à l'agriculture. Tout un chacun est conscient de la contradiction entre la protection de l'environnement édictée et la réalité.

Dans les églises et dans le pays, les débats atteignent leur point culminant après la parution des résultats officiels des élections. Mandatés par l'Eglise et avec preuves à l'appui, des avocats accusent le gouvernement de falsification des résultats des élections. Bien que l'accusation soit formellement déboutée, elle persiste toutefois dans l'esprit des hommes. Beaucoup de gens, et plus particulièrement les personnes âgées, se penchent sur la question de «l'infaillibilité» du SED. L'approbation par le gouvernement Est-allemand des mesures extrêmes prises par le gouvernement chinois face aux manifestants pacifistes est accueillie avec incompréhension et effroi par le peuple. Pour beaucoup, voilà une raison supplémentaire pour tourner le dos à la RDA. Un État dans lequel de telles mesures sont considérées comme justes n'est pas vivable. Certains redoutent de subir eux-mêmes le sort des étudiants chinois.

La Hongrie est depuis des années le but de voyage préféré des citoyens Est-allemands. L'ouverture de la frontière hongroise avec l'Autriche offre la possibilité à des dizaines de milliers de personnes de quitter la RDA sans devoir demander d'autorisation d'émigration. D'autres essayent aussi d'émigrér en se rendant à la représentation permanente de la République fédérale et aux ambassades de Prague et de Varsovie. Tout d'abord le gouvernement de la RDA refuse de donner suite aux demandes de ceux qui ont décidé de partir, puis il cède toutefois. Ainsi plusieurs milliers de personnes ont pu quitter les ambassades à bord de trains spéciaux en direction de l'Ouest.

Les gens qui souhaitent rester dans leur patrie se mettent également en mouvement. Leipzig est le centre et le point de départ d'une vague de manifestations massives qui exigent des changements dans le pays. Les cortèges baptisés «manifestations du lundi» débutent en septembre. Lors de l'exposition d'automne de Leipzig, le public du monde entier commence aussi à s'intéresser de plus près aux événements. Les manifestants clament: «nous restons ici», «nous sommes le peuple», «élections libres», «à bas la sûreté intérieure de l'Etat». Ils réclament la reconnaissance du mouvement populaire «Nouveau Forum» et la suppression de l'article 1 de la constitution Est-allemande qui valide le monopole du pouvoir du SED. Les manifestations se propagent dans tout le pays, avec comme nouveaux centres Berlin et Dresde. Erich Honecker, qui reprend ses fonctions le 25 septembre après plusieurs semaines de maladie, annonce une stratégie ferme face aux manifestants. Le 7 octobre, journée officielle de l'anniversaire de la fondation, les manifestants pacifistes se retrouvent face à une violence exagérée des forces de sécurité. Plus de 700 personnes sont provisoirement arrêtées. Une partie toutefois est emprisonnée pendant plusieurs jours. Honecker n'a pas écouté ou n'a pas voulu écouter les avertissements de Gorbatchov: «Celui qui arrive en retard est puni par la vie». Le chef du département de Dresde, Hans Modrow, et son jeune maire, Wolfgang Berghofer, choisissent une autre direction. Le 9 octobre déjà, ils rencontrent les représentants de l'opposition et donnent ainsi le signal à beaucoup de responsables du SED. A l'exception de Halle, l'aggravation des démêlés entre manifestants et forces de l'ordre lors des manifestations suivantes est évitée partout grâce à cette mesure.

Le grand dialogue commence modestement. Son expansion au sein du gouvernement du SED débute le 18 octobre avec l'évincement d'Erich Honecker par son successeur Egon Krenz. Un «printemps politique» saisit le pays tout entier. Les demandes du peuple sont soudainement débattues ouvertement. Des mesures visant leur exécution immédiate sont entreprises et les démarches de mise en vigueur sont annoncées par le gouvernement. Une nouvelle loi sur le voyage est exigée et conçue. Considérée comme insuffisante, elle est rejetée par la Chambre du peuple et le FDJ. Le chemin semble encore long jusqu'à la liberté totale de voyage. Toutefois soudainement, le 9 novembre, c'est chose faite: Günter Schabowski, membre du Politbureau, annonce, presque naturellement, l'ouverture immédiate de la frontière.

Les heures qui suivent sont, pour ceux qui en furent témoins, inoubliables. Un bonheur illimité et une joie immense de retrouvailles réunissent au milieu de la nuit des hommes des deux côtés de la ville. Le caractère tout d'abord incroyable que revêt l'ouverture du Mur est confirmé par la réalité: les Berlinois ont pu se rencontrer sans entrave administrative et sans contrôle. Les Berlinois de l'Est arrivent à Berlin-Ouest, en toute liberté, à pied, en automobile ou en métro. Inversement, quelques Berlinois de l'Ouest profitent de cette opportunité pour rendre visite de l'autre côté de ville à des amis ou à des membres de leur famille. La gigantesque affluence rend les règlements et les douaniers inutiles. Plus personne n'exige de visa, de change minimum obligatoire, de passeport ou de cachet. La porte de Brandebourg est peuplée de gens enflammés et l'euphorie règne sur le Kurfürstendamm. Le Bourgmestre régnant de Berlin, Walter Momper, s'exprime en toute liberté: «Nous sommes maintenant le peuple le plus heureux du monde». La ville entière est en état d'effervescence. D'une manière totalement imprévue, les Berlinois célèbrent ce magnifique moment au champagne, avec des fleurs, des larmes et des rires.

En quelques heures, la ville est à nouveau, après des décennies, le centre du monde: l'ouverture du Mur devient, non seulement pour les Allemands et les Européens mais aussi au niveau mondial, le thème principal des informations. Ce weekend-là, Berlin vit dans une joie délirante. L'assaut des visiteurs de l'Est paralyse le trafic routier à l'intérieur de la ville. A cause de la surabondance dans les stations de métro, la BVG n'est plus en mesure d'assurer un trafic fluide.

Etant donné le besoin accru de nettoyage de la ville, des montagnes de déchets s'entassent dans la ville entière. Trabant et Wartburg se pressent à la frontière et encombrent les rues. Les Berlinois prennent tout cela à la légère.

Le lundi, lorsque la Chambre des députés de Berlin-Ouest entre en séance, il est évident que le Sénat de Berlin a besoin d'aide, pour faire face à cette nouvelle situation. Le gouvernement de la République fédérale souhaite tout d'abord, au cours d'un entretien avec le Bourgmestre régnant, décider des mesures complémentaires d'assistance. L'aide immédiate de Bonn tarde à venir. Les Berlinois se débrouillent eux-mêmes et le font cette fois-ci en commun.

De nouveaux points de passage sont ouverts, afin de soulager les points encombrés. Les autorités des deux côtés de la ville demandent instamment à chacun de ne pas se déplacer en automobile. Les centrales de police prennent contact directement les unes avec les autres. Certaines gares de métro fermées reprennent vie. Des bus font la navette entre l'Ouest et l'Est et vont même jusqu'à Nauen, Potsdam et Teltow. Berlin-Ouest n'est plus une île mais une ville remplie de nouvelles possibilités. Les deux parties de Berlin ont la chance de pouvoir à nouveau former une métropole au sein d'une Europe en plein changement.

Berlin-Ouest ne redoute pas le contact. La ville connaît de près les deux systèmes. Il existe ici suffisamment de tolérance et de potentiel intellectuel, pour assurer un rôle de grande ville à un échelon particulier dans une situation géographique particulière. Les expériences acquises par la coopération entre Berlin et Berlin, entre les deux parties de l'Allemagne, entre l'Est et l'Ouest peuvent devenir, à différents niveaux, un modèle pour toute l'Europe. Les premières démarches sont déjà engagées, les suivantes sont en pourparler. Ici, les distances ne sont pas grandes. Quelques minutes seulement entre l'Ouest et l'Est, d'un système à un autre. L'Europe par des chemins raccourcis – quelle autre métropole peut offrir cela?

DAS VORSPIEL
THE PRELUDE
PROLOGUE

Am Vorabend des
40jährigen DDR-Jubi-
läums: Mahnwache
für die politischen
Gefangenen vor der
Gethsemanekirche in
Ost-Berlin

The evening before
the GDR's 40th anni-
versary celebration:
vigil for political pris-
oners in front of East
Berlin's Gethsemane
Church

La veille du 40ème
anniversaire de la
RDA: devant l'église
de Gethsemani à
Berlin-Est, une veillée
commémorative pour
les prisonniers
politiques

In der Erlöserkirche im Stadtbezirk Köpenick fragen sich mehrere tausend Zuhörer: »Wie nun weiter, DDR?«

Several thousand participants at a discussion in the Erlöserkirche are asking "What now, GDR?"

A l'intérieur de l'église Erlöserkirche, plusieurs milliers de personnes se demandent: «comment continuer maintenant en RDA?»

Zum Auftakt der Gründungsfeiern veranstaltet die FDJ Unter den Linden einen Fackelzug (oben), aber auch oppositionelle Gruppen tun ihren politischen Unmut über den SED-Staat kund (unten)

The FDJ sponsors a torchlight parade to start the anniversary celebration (top); but members of the opposition also express their feelings about the policies of the SED state (bottom)

Lors de l'ouverture de la célébration de la fondation, le FDJ organise un cortège de flambeaux (en haut), toutefois des groupes de l'opposition font savoir leur désapprobation face au SED (en bas)

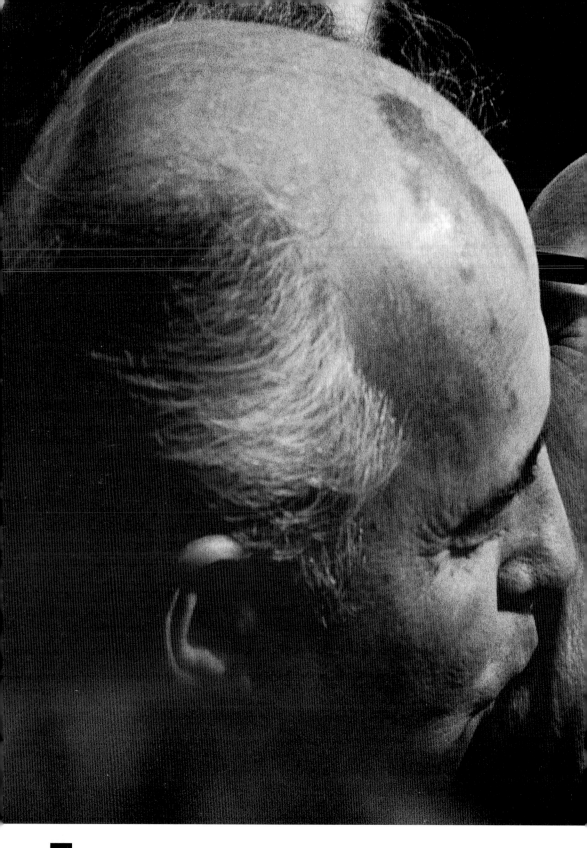

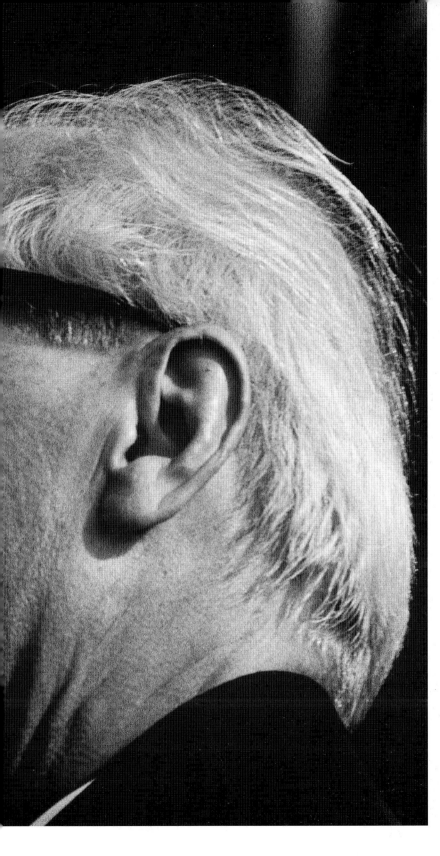

Der letzte Bruderkuß:
Staats- und Parteichef
Erich Honecker be-
grüßt Michail Gorbat-
schow zum DDR-
Besuch anläßlich des
40. Jahrestages

The last fraternal
kiss: State and party
chief Erich Honecker
welcomes Mikhail
Gorbachev to the
GDR in honor of its
40th anniversary

Le dernier baiser
fraternel: Erich
Honecker, chef d'Etat
et du Parti souhaite la
bienvenue à Mikhaïl
Gorbatchov lors de sa
visite en RDA à
l'occasion du 40ème
anniversaire

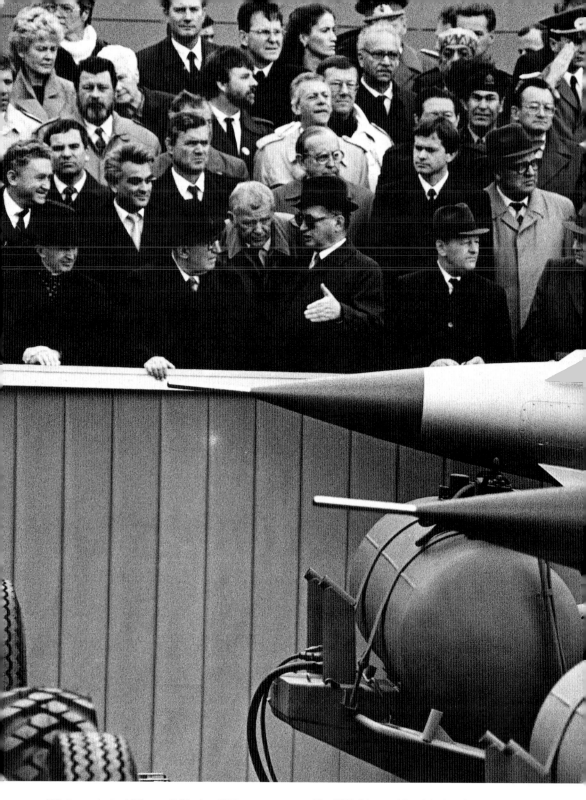

Militärparade der NVA zum 7. Oktober 1989 vor
Honecker und seinen internationalen Gästen

The NVA (National People's Army) military parade
passes by Honecker and his international guests of honor

*Le 7 octobre, parade militaire devant Honecker et
ses hôtes d'honneur internationaux*

*Eine nie gekannte
Szene auf dem Marx-
Engels-Platz:
Nach dem Rücktritt
Honeckers protestie-
ren rund 3000 bis
4000 Jugendliche mit
einem Sit-in gegen
die Nominierung von
Egon Krenz zum
Nachfolger*

*Something never
seen before on Marx-
Engels-Platz: follow-
ing Honecker's
hasty resignation,
3,000–4,000 young
people stage a short
sit-in to protest the
nomination of Egon
Krenz as his suc-
cessor*

*Du jamais – vu sur la
place Marx-Engels:
après la démission
précipitée d'Hone-
cker, 3.000 à 4.000
jeunes protestent par
un court sit-in contre
la nomination de son
successeur, Egon
Krenz*

Kerzen-Demonstration vor dem Staatsratsgebäude (oben). Nach der Wahl von SED-»Kronprinz« Krenz ziehen am 24. Oktober etwa 12 000 Menschen durch die Ost-Berliner City (unten)

Lighting protest candles at the Council of State (top). Following the election of SED "heir apparent" Egon Krenz, about 12,000 people stage a protest march through downtown East Berlin (bottom)

Manifestation aux bougies devant l'édifice du conseil d'Etat (en haut) Le 24 octobre et suite à l'élection du «prince héritier» du SED Krenz, quelque 12.000 personnes descendent dans les rues de Berlin-Est (en bas)

Die Künstlerverbände der DDR rufen für den 4. November zu einer Kundgebung für Demokratie und Meinungsfreiheit auf

The GDR's national artists' associations call for a rally supporting democracy and free speech

Le 4 novembre, les associations d'artistes de la RDA revendiquent la démocratie et la liberté d'opinion

Demonstrationszug
vor dem Palast der
Republik, dem Sitz
der DDR-Volks-
kammer.
Die Plakate und
Spruchbänder sollen
später als Museums-
stücke von der fried-
lichen November-
revolution künden

The demonstrators
march by the Palace
of the Republic,
headquarters of the
GDR Volkskammer
(People's Parliament).
The posters and ban-
ners will be on view in
a museum commem-
orating the peaceful
November revolution

Démonstration
devant le Palais de la
République, siège de
la chambre du peuple
de la RDA. Plus tard,
les placards et les ca-
licots seront exposés
dans un musée rela-
tant la révolution pa-
cifique de novembre

Mit Phantasie und Berliner Mutterwitz verschafft sich
die Menge auf der Straße Gehör

The masses on the street use imagination and their
typical Berlin sense of humor to get the message across

Avec l'imagination et le bon sens berlinois,
la foule s'impose dans les rues

Fünf Tage später, am Abend des 9. November 1989, gibt SED-Politbüromitglied Günter Schabowski die sofortige Öffnung der DDR-Grenze zur Bundesrepublik und nach West-Berlin bekannt

Five days later, on the evening of November 9, 1989, SED Polit-buro member Günter Schabowski announces the immediate opening of the GDR borders to the FRG and West Berlin

Cinq jours plus tard, le soir du 9 novembre 1989, Günter Schabowski, membre du Politbureau, annonce l'ouverture immédiate des frontières de la RDA avec la République fédérale d'Allemagne et Berlin-Ouest

Abschlußkundgebung auf dem Alexanderplatz

Concluding rally on Alexanderplatz

Fin d'une manifestation à Alexanderplatz

DIE NACHT, ALS DIE MAUER FIEL ...
THE NIGHT THE WALL CAME DOWN ...
LA NUIT OÙ LE MUR TOMBA ...

Die ersten Ost-Ber-
liner vom Prenzlauer
Berg eilen am Über-
gang Bornholmer
Straße durch die
Mauer

East Berliners from
the district of Prenz-
lauer Berg are the
first to leave the Wall
behind by hurrying
through the Born-
holmer Strasse
checkpoint

Les premiers Berlinois
de l'Est de Prenzlauer
Berg se précipitent
pour traverser le Mur
au point de passage
de Bornholmer Straße

Das kann doch nicht wahr sein!   *This can't really be happening!*   *Trop beau pour être vrai!*

Bald gibt es, wie hier
in der Bornholmer
Straße, kein Halten
mehr

Soon there's no
stopping anyone any-
more: like here at
Bornholmer Strasse

Bientôt, on assiste
partout à un déferle-
ment continu, tout
comme ici à Born-
holmer Straße

Die Mauer ist offen!

The Wall is open!

Le Mur est ouvert!

Überall spontane
Verbrüderungsszenen

Spontaneous friend-
ships everywhere

Partout spontanément
des scènes de
fraternité

*Die Nacht der Tränen
und Umarmungen*

*A night of joyful tears
and hugs*

*La nuit des larmes et
des étreintes*

Endlich zusammen!

Together at last!

Enfin réunis!

Auch den Grenzüber-
gang Invalidenstraße
haben die Besucher-
massen rasch in Besitz
genommen

The visiting masses
quickly take over the
Invalidenstrasse
checkpoint as well

La foule des visiteurs
a rapidement pris
possession de la fron-
tière à Invaliden-
straße

Das große Wieder-
sehen am Branden-
burger Tor

The giant reunion at
the Brandenburg Gate

Grandes retrouvailles
à la porte de
Brandebourg

Nächtliche Ost-West-
Fete auf der Mauer-
krone

A night of East-West
celebration on top of
the Wall

Célébration nocturne
Est-Ouest sur le Mur

Schon machen sich
die ersten Souvenir-
jäger ans Werk

The first souvenir-
hunters go to work

Les premiers chas-
seurs de souvenirs se
mettent déjà à
l'ouvrage

Auf DDR-Seite räumt
ein Wasserwerfer den
Grenzstreifen (oben),
doch bald wird erneut
auf der Mauer ge-
feiert (unten)

On the GDR side, a
water cannon clears
the border strip (top);
but the celebrations
on top of the Wall
soon begin anew
(bottom)

Du côté de la RDA, la
frontière est déblayée
au moyen d'un jet
d'eau (en haut), ce qui
n'empêche pas toute-
fois, de recommencer
bientôt la fête sur
le Mur (en bas)

Blick auf die Ostseite
des Brandenburger
Tores

A look at the Eastern
side of the Branden-
burg Gate

Coup d'œil à l'Est
de la porte de
Brandebourg

Freudentanz auf der
Mauer

A dance of joy on top
of the Wall

Danse de joie sur
le Mur

Der Regierende Bürgermeister
Walter Momper begrüßt die
begeisterte Menge in der
Invalidenstraße

*Governing Mayor Walter Momper
greets an enthusiastic crowd at
Invalidenstrasse*

*Walter Momper, Bourgmestre
régnant, souhaite la bienvenue à la
foule enflammée à Invalidenstraße*

*Stürmisches Wiedersehen am Checkpoint Charlie,
gleich öffnen sich die Schranken*

*A tumultuous reunion at Checkpoint Charlie:
the gates are about to open*

*Retrouvailles tumultueuses à Checkpoint Charlie
à l'instant même où les barrières s'ouvrent*

Ein Traum geht in Erfüllung: einmal Ku'damm und zurück

A dream comes true: a trip to the Ku'damm and back

Un rêve devient réalité: un aller retour Ku'damm

... UND DIE TAGE DANACH
... AND THE DAYS AFTERWARDS
... LES JOURS SUIVANTS

Endlich Reisefreiheit, ertrotzt vom Volk in der DDR

Freedom to travel at last, defiantly gained by the people of the GDR

La liberté de circulation enfin obtenue par le peuple de la RDA

*Der erste Blick in
den Westen*

*A first look at the
West*

*Le premier coup d'œil
à l'Ouest*

*Hallo Nachbarn, wir
kommen! (oben)
Jubelstimmung am
Checkpoint Charlie
(unten)*

*Hi, neighbours; here
we are! (top)
Joyful atmosphere at
Checkpoint Charlie
(bottom)*

*Bonjour chers voisins,
nous voilà! (en haut)
Climat d'allégresse à
Checkpoint Charlie
(en bas)*

SIE BETRETEN DEN AMERIKANISCHEN SEKTOR
US ARM

Die erste Neugierde ist gestillt. Ost-Berliner bei der Rückkehr über den Checkpoint Charlie (oben). Am Wedding kommt man sich über den neuen Übergang Wollankstraße näher (unten)

The initial curiosity has been satisfied: East Berliners returning through Checkpoint Charlie (top). In the district of Wedding, the new border crossing at Wollankstrasse provides another opportunity to get to know one another (bottom)

La curiosité première est assouvie. Des Berlinois de l'Est lors de leur retour par Checkpoint Charlie (en haut)
A Wedding, on se retrouve au nouveau point de passage de Wollankstraße (en bas)

Massenandrang am Mauerdurchbruch in der Bernauer Straße

Large crowds gather at the gap in the Wall on Bernauer Strasse

A la Bernauer Straße, affluence massive à travers la nouvelle percée du Mur

*Auch der Stachel-
draht fällt*

*Barbed wire dis-
appears too*

*Les fils barbelés
tombent également*

*An der Oberbaum-
brücke haben viele
DDR-Besucher ihre
Wagen einfach auf
der Ostseite der
Mauer geparkt
(oben). Blumen statt
Schießbefehl (unten)*

*Many visitors from
the GDR simply left
their cars on the east
side of the Wall at the
Oberbaum bridge
(top). Flowers replace
orders to shoot
(bottom)*

*Au Oberbaumbrücke,
de nombreux visiteurs
Est-allemands ont
simplement garé
leurs voitures du côté
Est du Mur (en haut)
Des fleurs au lieu
d'ordre de tir (en bas)*

Einzig am Branden-
burger Tor wird die
Lage bisweilen
brenzlig

Only at the Branden-
burg Gate did the
situation sometimes
become precarious

La situation se gâte
parfois, mais unique-
ment à la porte de
Brandebourg

Im Überschwang der Begeisterung besteigen junge Leute immer wieder zu Hunderten die drei Meter breite Grenzmauer

Overcome by enthusiasm, hundreds of young people keep climbing onto the three meter-wide Wall

Dans un débordement d'enthousiasme, des jeunes gens, par centaines, escaladent le Mur large de trois mètres

Jeder will bei diesen historischen Stunden dabeisein, die Straße des 17. Juni ist völlig verstopft

Everyone wants to experience these historic hours: traffic is completely stopped on Strasse des 17. Juni

Chacun veut prendre part à ce moment historique: l'avenue du 17 Juin complètement encombrée

Die DDR-Grenztruppe vertreibt hartnäckige Besetzer mit einer kalten Dusche

GDR border guards discourage stubborn demonstrators with a cold shower

Les gardes fron-tières Est-allemands chassent des occu-pants obstinés d'une douche froide

Rundfunk- und Fern-sehreporter aus aller Welt berichten live vom Brandenburger Tor (oben). Wie vor 28 Jahren beim Bau der Mauer steht es erneut im Brennpunkt deut-scher Geschichte (unten)

Radio and television reporters from all over the world broad-cast from the Bran-denburg Gate (top). The Brandenburg Gate is once again in the center of German history (bottom)

Des journalistes du monde entier com-mentent les événe-ments en direct depuis la porte de Brandebourg (en haut) Elle se dresse à nou-veau au centre de l'histoire allemande (en bas)

Bleibt die Mauer,
gehn' die Leute
fällt die Mauer, ist sie pleite
Ja, sie hat es wirklich
schwer, unsre' arme DDR

Rasch finden die Bewohner vom Kiez beiderseits der Bernauer Straße wieder zueinander

Neighbours from both sides of the Bernauerstrasse have no trouble renewing old ties

Rapidement, les habitants du «quartier» des deux côtés de la Bernauer Straße se retrouvent à nouveau

Durch einen neu eröffneten Übergang tuckert ein Bauer aus Kleinmachnow zu einer kurzen West-Runde in den Bezirk Tempelhof

A farmer from Klein-machnow chugs through a new border crossing in the south of Berlin for a short ride west to the district of Tempelhof

Empruntant l'un des nouveaux points de passage dans le sud de Berlin, un paysan de Kleinmachnow s'en vient faire un petit tour dans l'arrondissement de Tempelhof

Hochspannung am
Potsdamer Platz. Hier
soll am Wochenende
die Mauer fallen

A charged atmos-
phere at Potsdamer
Platz. The Wall is
scheduled to fall this
weekend

Grande impatience à
Potsdamer Platz où
le Mur doit tomber
au cours du week-end

Zehntausende ver-
folgen die Vorberei-
tungen

Tens of thousands
watch the prepara-
tions

Des dizaines de
milliers de personnes
poursuivent les pré-
paratifs

*Die ansteckende Fröhlichkeit ergreift auch die
Ordnungshüter aus Ost und West*

*The contagious enthusiasm infects even the security
forces of both East and West*

L'allégresse contamine les gardiens de la paix de l'Est
et de l'Ouest

Die dicht verfugten Betonsegmente werden auseinandergeschweißt

The tightly-fitting slabs of concrete are welded apart

Des blocs de béton sont tranchés

*Ein Kran hievt die vier Meter hohen
Platten aus der Lücke*

*A crane pulls the 4 meter-high slabs
from the hole*

*Une grue extrait de la brèche la
dalle de quatre mètres de haut*

Mitten im alten Her-
zen Berlins öffnet sich
eine Schneise

A new link opens in
the middle of the old
heart of Berlin

Au milieu du vieux
cœur de Berlin s'ouvre
une percée

Am Morgen danach:
Auf der Westseite
warten bereits die
Neugierigen und die
Reporter

The morning after:
curious spectators
and reporters are
already waiting on the
Western side

Le lendemain matin,
les curieux et les
journalistes attendent
déjà du côté Ouest

Walter Momper und
sein Ost-Berliner
Amtskollege Erhard
Krack eröffnen ge-
meinsam den Mauer-
durchlaß (oben). Wie
erlöst fallen sich zwei
Frauen in die Arme –
Bilder, die in diesen
Tagen die Welt bewe-
gen (unten)

Walter Momper and
his East Berlin col-
league Erhard Krack
get together to offi-
cially open the new
gap in the Wall (top).
Images that moved
the whole world: two
women joyfully fall
into each other's
arms

Walter Momper et
son collègue de
Berlin-Est, Erhard
Krack, inaugurent
ensemble le nouveau
point de passage
du Mur (en haut)
Délivrance, deux
femmes tombent dans
les bras l'une de
l'autre: images qui,
durant ces jours-là,
émeuvent le monde
entier (en bas)

Jeder möchte zu den ersten gehören; an der Absperrung stauen sich schon die Warteschlangen

Everyone wants to be among the first: the waiting crowd jams the barrier

*Chacun veut être le premier; la foule impatiente
s'amasse déjà au point de passage*

Leicht verwirrt inspi-
ziert ein hoher DDR-
Offizier die geöffnete
Staatsgrenze

Slightly confused, a
high-ranking GDR
officer inspects the
open border

Légèrement décon-
tenancé, un officier
Est-allemand inspecte
les frontières ou-
vertes

Ost-Westliche Amts-
hilfe beim kleinen
Grenzverkehr über
den Teltow-Kanal
(oben). Der neue All-
tag am Potsdamer
Platz (unten)

East and West
authorities cooperate
at the Teltow canal
crossing point (top).
The new everyday
scene at Potsdamer
Platz (bottom)

Entraide Est-Ouest
aux affaires de «visite
de jour» à la frontière
du canal de Teltow (en
haut)
Nouveau quotidien de
Potsdamer Platz
(en bas)

Die »Große Neugierde« am Schloß Glienicke, wo halb Potsdam nach der Öffnung der Havelbrücke vorbeiströmt

The "Grosse Neugierde" (great curiosity) at the Glienicke Castle, where half of Potsdam streams by following the opening of the Havel bridge

A la «Große Neugierde» (Pavillon de la curiosité) du château Glienicke, la moitié de Potsdam se presse, peu après l'ouverture du pont de l'Havel

Karnevalisten aus der DDR feiern die Freigabe am 11. 11. an Ort und Stelle (oben). Ein strahlender Willy Brandt kehrt am Übergang Invalidenstraße aus Ost-Berlin zurück (unten)

Carnival revellers from the GDR celebrate the official opening of the border on November 11 th (top). A smiling Willy Brandt returns from East Berlin at the Invalidenstrasse checkpoint (bottom)

Le 11 novembre, un groupe de carnaval de la RDA célèbre, sur place, la libération (en haut) Willy Brandt, rayonnant, revient de Berlin-Est par le passage d'Invalidenstraße (en bas)

Die fröhlichste Völkerwanderung der Geschichte

The friendliest mass migration in history

L'invasion la plus joyeuse de l'histoire

Hämmernd und klopfend machen sich »Mauerspechte« ans Werk (oben). Am Potsdamer Platz, einstmals der verkehrsreichste Platz der Stadt, warten die Ost-Kontrolleure auf die erste Schicht (unten)

"Wall woodpeckers" start hammering and pounding (top). Eastern control personnel wait for the first shift to start at Potsdamer Platz, once the busiest square in the entire city

Martelant et cliquetant, les «piverts du Mur» sont à l'ouvrage (en haut) A Potsdamer Platz, autrefois la place la plus importante de la ville, les contrôleurs de l'Est se préparent pour la relève (en bas)

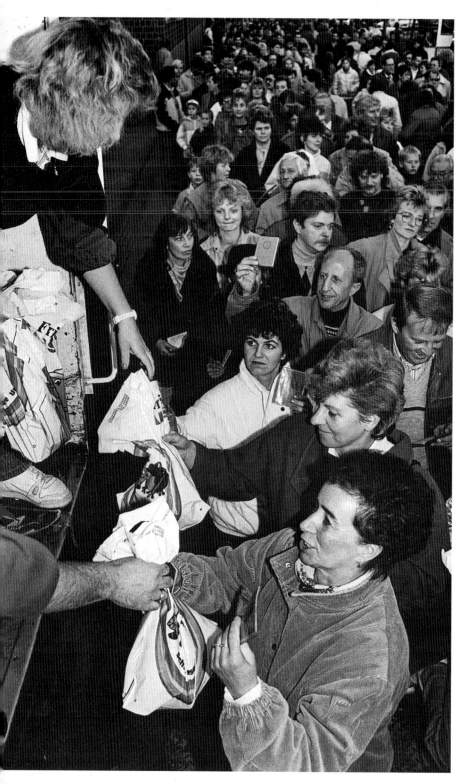

Eine West-Berliner
Filialkette verteilt
Kaffee und Schoko-
lade als ersten Will-
kommensgruß

A West Berlin grocery
chain distributes wel-
coming packages of
coffee and chocolate

Une chaîne de suc-
cursales de Berlin-
Ouest distribue du
café et du chocolat en
signe de bienvenue

In den grenznahen
Bezirken verändert
sich das Straßenbild
(West) über Nacht,
sei es durch die un-
gewohnten »Trabis«
(oben) oder die
Schlangen vor den
Banken (unten)

Western street
scenes change over-
night in the districts
closest to the border:
unfamiliar "Trabis"
(top); long lines form
in front of banks to
collect "welcome
money" (bottom)

Dans les arrondisse-
ments à proximité de
la frontière, le profil
des rues (ouest) se
modifie durant la nuit
par la présence des
inhabituels «Trabis»
(en haut) ou des files
d'attente devant les
banques (en bas)

»Freie Fahrt zum Alex« auch für West-Berliner verlangt dieses November-Transparent in Kreuzberg

A November banner in Kreuzberg demands "Free passage to Alex" (East Berlin) for West Berliners as well

A Kreuzberg: une banderole réclame pour les Berlinois de l'Ouest aussi «libre parcours jusqu'à Alex» (Berlin-Est)

Wie jeden Montag, so erlebt Leipzig am 13. November einen Massenumzug (oben). An die Spitze der Regierung tritt Hans Modrow (unten rechts), hier mit SED-Chef Krenz nach seiner Wahl durch die Volkskammer

On November 13, Leipzig experiences another Monday mass demonstration (top). Following his election, government head Hans Modrow (bottom right) in the People's Parliament with Egon Krenz

Le 13 novembre, comme chaque lundi, un cortège géant se forme à nouveau dans les rues de Leipzig (en haut) Hans Modrow (en bas à droite) se retrouve à la tête du gouvernement. Ici, avec Krenz, après son élection par la Chambre du peuple

SED
MACHTANSPRUCH

Am Potsdamer Platz begrüßt
Bundespräsident Richard von Weiz-
säcker einen Offizier der DDR-
Grenztruppen

FRG president Richard von Weizsäcker greets a GDR border officer
at Potsdamer Platz

A Potsdamer Platz, le président de
la République fédérale, Richard von
Weizsäcker, salue un officier des
gardes frontières Est-allemands

GO WEST

111

Wochenendverkehr von und nach Potsdam an der
Glienicker Brücke

Weekend traffic to and from Potsdam on the
Glienicke bridge

Glienicker Brücke, durant le week-end : trafic en
provenance et en direction de Potsdam

Der erste Familienausflug aus der Mark Brandenburg nach West-Berlin

A family's first excursion from Mark Brandenburg to West Berlin

Première excursion familiale de la province de
Mark Brandenburg vers Berlin-Ouest

DDR-Touristen über-
fluten die U-Bahn

GDR tourists flood
the Underground

Les touristes Est-
allemands enva-
hissent le U-Bahn

Fünfzehn Mark Devi-
sen gibt's im Osten
für den Westbesuch
(oben). Dann stellt
man sich im Westen
nochmals für hundert
Mark Begrüßungsgeld
an (unten)

For GDR citizens, fif-
teen Marks of hard
currency for their
Western visit is avail-
able in the East (top).
In the West, they line
up for another one
hundred Marks "wel-
come money"
(bottom)

A l'Est, lors du
change des quinze
marks autorisés pour
une visite à l'Ouest
(en haut)
Puis, de l'autre côté,
on fait la queue une
nouvelle fois pour
obtenir les cents
marks de bienvenue
(en bas)

Die »Ossis« erobern den Kurfürstendamm   "Eastys" take over the Kurfürstendamm

Les «Ossis» (ceux de l'Est) à la conquête du Kurfürstendamm

Hochkonjunktur bei den Wechselstuben, die Kurse schwanken (oben). Im Rathaus Schöneberg zahlt der Regierende Bürgermeister Momper »die Blauen« aus (unten)

Business is booming at currency exchange offices; rates fluctuate (top). Governing Mayor Walter Momper distributes "the blue notes" at Rathaus Schöneberg (bottom)

*Haute conjoncture dans les bureaux de change, les cours inofficiels varient (en haut)
Au Rathaus Schöneberg, le maire W. Momper remet, en mains propres, les «billets bleus» (en bas)*

Kinos und Theater bieten Vergünstigungen

Cinemas and theaters offer reduced rates

Les cinémas et les théâtres offrent des réductions

DIE KOMÖDIE. DIE IM DUNKELN LEUCHTET

LIEBE GÄSTE AUS DER DDR EINTRITT FÜR SIE DM 6.-

Akku-
Bohrschrauber
Zahnkranz Bohrfutter 1,5-10 mm
Elektronische Drehzahlregelung, stufenlos
4 Drehmomenteinstellungen
Rechts-/Linkslauf
Ladegerät (Ladezeit 3-4 Std.)
Leerlaufdrehzahl 500 U/min.
89,95

Schlangestehen bei Aldi – beinahe wie im Osten

Standing in line in front of Aldi supermarket – reminiscent of the East

File d'attente chez Aldi – presque comme à l'Est

Am Übergang Prin-
zenstraße verteilen
West-Berliner Firmen
kostenlos Getränke
(oben). Eine völlig
fremde Welt verbirgt
sich hinter umlager-
ten Türen der Sex-
Shops (unten)

West Berlin com-
panies distribute free
drinks at the Prin-
zenstrasse border
crossing (top). People
surround sex shop
entrances to get a
glimpse of the totally
unknown world hid-
den behind the doors
(bottom)

Au passage de Prin-
zenstraße, des entre-
prises de Berlin-Ouest
distribuent gratuite-
ment des boissons
(en haut)
Un monde inconnu se
cache derrière les
portes assiégées des
sex-shops (en bas)

T-Shirts zum 9. Novem-
ber 1989 lassen nicht
lange auf sich warten

It doesn't take long
after November 9 for
commemorative T-
shirts to appear

Les T-shirts en
commémoration du 9
novembre ne se font
pas attendre

Am Schöneberger Rathaus vereinen sich Öko-Gruppen aus beiden Teilen der Stadt zu ihrer ersten gemeinsamen Demonstration

Ecology groups from both parts of the city unite at Rathaus Schöneberg for their first joint demonstration

Au Rathaus Schöneberg, des groupes écologistes des deux côtés de la ville se réunissent pour faire leur première manifestation commune

Der Schlußverkauf beginnt (oben). Aus Paris ist der weltberühmte, in Rußland geborene Cellist Mstislav Rostropowitsch eigens nach Berlin geflogen, um ein Konzert an der Mauer zu geben (unten)

The Wall's "going-out-of-business" sale begins (top). The Russian-born Cellist Mstislav Rostropovich flew in from Paris to hold a concert at the Wall (bottom)

Les soldes commencent (en haut) Le violoncelliste d'origine russe et mondialement connu, Mstislav Rostropovich, est venu directement de Paris afin de donner un concert au pied du Mur (en bas)

Das zweite Wochenende der 800 000 geht zu Ende.
Lebhafter Verkehr am Potsdamer Platz

The second 800,000-visitor weekend is over.
Heavy traffic at Potsdamer Platz

*Le second week-end, avec ses 800.000 visiteurs,
touche à sa fin. Trafic animé à Potsdamer Platz*

Wir kommen wieder!

We'll be back!

Nous reviendrons!

DAS TOR GEHT AUF
THE GATE OPENS
LA PORTE S'OUVRE

*Letzte Vorbereitungen
für den 22. Dezember*

*Final preparations for
December 22*

*Derniers préparatifs
pour le 22 décembre*

*Alles wartet auf die
offizielle Eröffnung*

*Anticipating the offi-
cial opening ceremony*

*Dans l'attente de
l'ouverture officielle*

Volksfest auf dem
Pariser Platz;
Friedenstauben
melden die
große Stunde

Carnival atmosphere
on Pariser Platz;
peace doves commem-
orate the historic
hour

Fête populaire à
Pariser Platz; des
colombes de la paix
annoncent l'heure
historique

Brandenburgisches Konzert 1989 (oben). Ein Symbol erwacht wieder zum Leben (unten)

Brandenburg Concerto 1989 (top). A symbol gains new life (bottom)

Concert de Brandebourg 1989 (en haut) La renaissance d'un symbole (en bas)

Leonard Bernstein, zu Gast in beiden Teilen der Stadt, feiert Chanukka in Ost-Berlin

Leonard Bernstein, a guest in both parts of the city, celebrates Hanukkah in East Berlin

Léonard Bernstein, hôte des deux parties de la ville, célèbre la fête juive Hanouka à Berlin-Est

Gesamtberliner Weihnachtsbummel Unter den Linden

East-West Christmas shopping spree on East Berlin's boulevard Unter den Linden

Promenade de Noël à Unter den Linden, pour tous les
Berlinois – de l'Est et de l'Ouest

Die Silvesternacht des Jahrhunderts   *The New Year's Eve of the Century*   *La Saint-Sylvestre du siècle*

Gute Aussichten für 1990   _An optimistic outlook for 1990_   _Excellentes perspectives pour 1990_

CHRONIK DER EREIGNISSE

1961

13. August: In den frühen Morgenstunden des Sonntags (2 Uhr) beginnen Einheiten der Volkspolizei und der Nationalen Volksarmee, den Weg in die Westsektoren zu sperren. Stacheldraht und Barrikaden teilen Berlin. Bereits zwei Tage später wird mit dem Bau der Mauer begonnen: 1,25 m hohe Betonplatten werden übereinandergeschichtet. Die Westmächte beschränken sich auf Protesterklärungen gegen die Sperrmaßnahmen. – Bis zum 20. September wird eine Mauer von 12 km Länge errichtet, Ost-Berliner Häuser entlang der Grenze werden abgerissen, 137 km Stacheldraht machen West-Berlin zu einer Insel.

23. August: Die Anzahl der Grenzübergänge wird auf 7 verringert, 4 davon sind West-Berlinern vorbehalten. Die Ost-Berliner Behörden ordnen für West-Berliner einen Passierscheinzwang an, dessen praktische Durchführung aus politischen Gründen scheitert. Die menschlichen Kontakte zwischen beiden Teilen der Stadt kommen somit zum Erliegen.

1962

17. August: Der achtzehnjährige Ost-Berliner Peter Fechter wird bei einem Fluchtversuch angeschossen und verblutet.

1963

21. Juni: Verordnung des Ministerrates der DDR zum »Schutz der Staatsgrenze« zwischen der DDR und Berlin (West).

26. Juni: Der Präsident der Vereinigten Staaten John F. Kennedy besucht West-Berlin. Seine Solidarität mit der West-Berliner Bevölkerung unterstreicht er mit den Worten: »Alle freien Menschen, wo immer sie leben mögen, sind Bürger dieser Stadt West-Berlin, und deshalb bin ich als freier Mann stolz darauf sagen zu können: Ich bin ein Berliner.« (Der letzte Satz wird in Deutsch gesprochen.)

17. Dezember: Erstes Passierscheinabkommen, gültig vom 19. Dezember bis zum 5. Januar 1964, erlaubt West-Berlinern zum ersten Mal wieder Verwandtenbesuche im Ostteil der Stadt.

1964

9. September: DDR erlaubt Rentnern Besuchsreisen in den Westen.

24. September: Neues Passierscheinabkommen ermöglicht Erweiterung der Besuchszeiträume.

25. November: DDR legt Mindestumtausch von 6,50 DM pro Tag fest.

1965

5. Februar: Passierscheinabkommen für Ostern und Pfingsten.

25. November: Passierscheinabkommen auch für Weihnachten und Neujahr.

1966

6. Oktober: Passierscheinstelle für dringende Familienangelegenheiten wird eingerichtet.

1968

10./11. Juni: Paß- und Visapflicht im Reise- und Transitverkehr zwischen der Bundesrepublik Deutschland und Berlin (West) wird von der DDR angeordnet; vorher war der Personalausweis ausreichend.

1970

19. März: Bundeskanzler Willy Brandt und der Vorsitzende des Ministerrates der DDR Willi Stoph treffen sich in Erfurt.

21. Mai: Zweites Treffen zwischen Brandt und Stoph in Kassel – Vorschlag der Bundesrepublik zur vertraglichen Regelung der Beziehungen.

1971

31. Januar: Wiederaufnahme des Telefonverkehrs, der im Mai 1952 unterbrochen wurde, zwischen beiden Teilen Berlins.

3. Mai: Rücktritt Walter Ulbrichts, Erich Honecker übernimmt das Amt des Generalsekretärs des ZK der SED.

3. September: Die USA, die Sowjetunion, Großbritannien und Frankreich unterzeichnen das Viermächte-Abkommen über Berlin.

17. Dezember: Die Staatssekretäre Egon Bahr und Michael Kohl unterzeichnen das Transit-Abkommen zwischen der Bundesrepublik Deutschland und der DDR.

20. Dezember: Vereinbarungen zwischen der DDR und dem Senat von Berlin (West) über Reise- und Besuchsverkehr sowie Gebietsaustausch.

1972

26. Mai: Verkehrsvertrag von den Staatssekretären Egon Bahr und Michael Kohl unterzeichnet.

3. Juni: Viermächte-Schlußprotokoll zum Berlin-Abkommen unterzeichnet; damit treten alle getroffenen Vereinbarungen in Kraft.

24. Juli: Der Selbstwählfernsprechdienst zwischen Berlin (West) und 32 Ortsnetzen der DDR wird aufgenommen.

21. Dezember: Egon Bahr und Michael Kohl unterzeichnen Grundlagenvertrag, der die Beziehungen zwischen beiden deutschen Staaten bis heute regelt. Er tritt ein halbes Jahr später in Kraft.

1973

5. November: Verdoppelung des Mindestumtausches; diese Maßnahme wurde nach einem Jahr zurückgenommen.

1974

2. Mai: Eröffnung der Ständigen Vertretungen der beiden deutschen Staaten in Bonn und Berlin (Ost), wobei die Vertretung der Bundesrepublik Berlin (West) mitvertritt.

1975

1. August: Die DDR unterzeichnet das KSZE-Abkommen von Helsinki.

29. Oktober: Übereinkunft zur gegenseitigen Hilfeleistung bei Unglücksfällen in Grenzgewässern zwischen der DDR und dem Senat von Berlin (West).

19. Dezember: Vereinbarung über den Ausbau der Transitstrecken nach Berlin.

1978

16. November: Vereinbarungen über den Bau der Autobahn Berlin–Hamburg, für die Instandhaltung der Transit-Wasserstraßen und zur Wiedereröffnung des Teltowkanals.

1980

1. Januar: Transitpauschale entbindet Bundesbürger und West-Berliner von der Zahlung der Straßenbenutzungsgebühr. Die Pauschale steigt von 50 Millionen DM bis 1989 auf 525 Millionen und beträgt ab 1990 bis 1999 jährlich 860 Millionen DM.

9. Oktober: Erneute Anhebung des Mindestumtausches auf nunmehr 25,– DM gegen den scharfen Protest der Bundesregierung.

1983

15. September: Treffen zwischen Erich Honecker und dem Regierenden Bürgermeister von Berlin Richard von Weizsäcker in Ost-Berlin.

1984

9. Januar: Den West-Berliner Verkehrsbetrieben (BVG) werden die Betriebsrechte für die S-Bahn in West-Berlin übertragen, die bis dahin unter der Verwaltung der Deutschen Reichsbahn (Ost) stand.

30. November: Die DDR beginnt mit dem Abbau der Selbstschußanlagen an der innerdeutschen Grenze und erteilt in großem Umfang Ausreisegenehmigungen: 1983 werden 11300, 1984 40900 und 1985 werden wieder nur 24900 Genehmigungen erteilt.

1985

1. November: Entfernung aller Bodenminen an der innerdeutschen Grenze.

1987

8. Juni: Zusammenstöße von Jugendlichen mit der Volkspolizei am Brandenburger Tor in Ost-Berlin, die ein Rockkonzert vor dem Reichstag mithören wollen.

7.–11. September: Erich Honecker stattet der Bundesrepublik Deutschland einen offiziellen Arbeitsbesuch ab.

1989

18. Januar: Erich Honecker erklärt, die Mauer »wird in 50 und auch in 100 Jahren noch bestehen bleiben, wenn die dazu vorhandenen Gründe noch nicht beseitigt sind«.

6. Februar: An diesem Tage kommt zum letzten Mal ein DDR-Bürger an der Berliner Mauer ums Leben; insgesamt starben 78 Menschen bei Fluchtversuchen.

28. März: Aufgrund einer seit dem 1. März bestehenden Regelung zum Osterfest nutzen 4000 West-Berliner die Möglichkeit, erstmals bei Freunden und Verwandten im Ostteil der Stadt zu übernachten.

13. Juni: Erstmals können 376 DDR-Gäste an einem Kirchentag in Berlin (West) teilnehmen.

1. August: Weitere Reiseerleichterungen: West-Berliner erhalten die Einreiseerlaubnis bei Vorlage des Mehrfachberechtigungsscheines gleich an der Grenze und können auch in den Bezirken Frankfurt/Oder und Potsdam übernachten.

4. September: Während der Herbstmesse in Leipzig demonstrieren am Montag 1200 Personen unter dem Motto: Reisefreiheit statt Massenflucht. Starke Polizeikräfte lassen sich auch durch Rufe wie »Stasi weg«, »Mauer weg« und »Freie Fahrt nach Gießen« nicht provozieren.

10. September: Ungarn öffnet die Grenze nach Österreich. 10000 DDR-Bürger kommen über Österreich in die Bundesrepublik Deutschland; bis zum 30. Oktober sind es über 50000.

25. September: Die »Montagsdemonstrationen« in Leipzig nehmen von Mal zu Mal erheblich zu: An diesem Tage sind es noch 8000 Teilnehmer, am 2. 10. 15000, am 9. 10. 70000, am 16. 10. 150000, am 23. 10. schließlich demonstrieren 300000, und eine Woche später demonstrieren fast ebenso viele. Erich Honecker nimmt seine Amtsgeschäfte nach mehrwöchiger Krankheit wieder auf.

30. September: Ende des Flüchtlingsdramas in den Botschaften von Prag und Warschau. Mehrere Male wird den Bürgern der DDR aus »humanitären« Gründen die Ausreise aus den überfüllten Botschaften gestattet. Die zuerst als »einmalig« propagierte Maßnahme wird fast normale Praxis. Denn die Menschen weigern sich, in die DDR zurückzukehren, um dort ihre Ausreise zu beantragen. – Am folgenden Tag werden 6000 DDR-Bürger mit Sonderzügen der Deutschen Reichsbahn durch DDR-Gebiet in die Bundesrepublik gebracht.

2. Oktober: Polizeieinsatz beendet Demonstration in Leipzig, Demonstranten rufen »Wir bleiben hier«.

3. Oktober: Visafreier Verkehr zwischen der CSSR und der DDR aufgehoben.

4. Oktober: Ausreise von 10000 DDR-Bürgern in versiegelten Sonderzügen aus Prag – Bahnhöfe und Streckenabschnitte in der DDR werden abgeriegelt.

5. Oktober: 1500 Menschen rufen in der Gethsemane-Kirche am Prenzlauer Berg in Berlin zu Ruhe und Gewaltfreiheit auf.

6. Oktober: DDR verweigert Westbesuchern Einreise nach Ost-Berlin, dies wird über das Wochenende fortgesetzt.

7. Oktober: 40. Jahrestag der Gründung der DDR.

7000 Demonstranten ziehen durch das Zentrum der »Hauptstadt«. Sicherheitskräfte gehen gegen Demonstranten brutal vor, kesseln sie in der Nacht zum 8. Oktober am Prenzlauer Berg ein, 700 Personen werden vorläufig festgenommen. Auch in anderen Städten der DDR gibt es Massendemonstrationen, so z. B. in Dresden, Leipzig, Potsdam, Plauen und Jena, insgesamt werden über 1000 Personen verhaftet. Erich Honecker tritt weiterhin für einen harten Kurs gegenüber der Protestbewegung ein, wogegen Michail Gorbatschow warnt: »Wer zu spät kommt, den bestraft das Leben!« Gründung der Sozialdemokratischen Partei in der DDR.

9. Oktober: 70000 Personen demonstrieren friedlich in Leipzig. Auch an anderen Orten wird demonstriert, mit Ausnahme von Halle halten sich die massiven Sicherheitskräfte überraschend zurück, in Dresden spricht sogar der Oberbürgermeister Wolfgang Berghofer mit Vertretern der Opposition.

11. Oktober: Nach Ungarn erklärt nun auch Polen, keine DDR-Bürger, die über diese Länder ausreisen wollen, mehr zurückzuschicken.

13. Oktober: Tägliche Mahnwachen für die verhafteten Bürgerrechtler und Demonstranten in vielen Städten der DDR haben Erfolg: Fast alle festgenommenen Personen werden freigelassen. Honecker berät mit seinen Stellvertretern unbeirrt über »aktuelle Aufgaben bei der weiteren erfolgreichen Gestaltung der entwickelten sozialistischen Gesellschaft«. Manfred Gerlach, Vorsitzender der LDPD, meldet Zweifel am Alleinherrschaftsanspruch der SED an.

16. Oktober: Großkundgebungen jetzt auch in Dresden, Magdeburg und Halle.

18. Oktober: Erich Honecker von all seinen Ämtern enthoben. Zentralkomitee wählt Egon Krenz zum Nachfolger; er wird am 24. Oktober von der Volkskammer bestätigt, dabei gibt es 26 Gegenstimmen und 26 Enthaltungen.

19. Oktober: Auf zahlreichen Demonstrationen, die nun das ganze Land erfassen, profiliert sich immer mehr die Bürgerbewegung »Neues Forum«. Die Demonstranten fordern unter anderem: Wir sind das Volk, Pressefreiheit, freie Wahlen, Reisefreiheit, Aufgabe des Führungsanspruchs der SED, Trennung von Partei und Staat. Sie äußern ihr Mißtrauen gegenüber der neuen Führung, insbesondere gegenüber Egon Krenz.

20. Oktober: Die DDR bietet ihren ehemaligen Bürgern die Rückkehr an. Mitglieder der SED-Führung stellen sich erstmals einer Live-Fernsehdiskussion. Der Oberbürgermeister von Dresden Wolfgang Berghofer unterstreicht die Notwendigkeit der Gleichbehandlung aller Bürger bei Reisen. Der Chefideologe der SED, Prof. Otto Reinhold, erklärt im ZDF, daß das neue Reisegesetz natürlich auch die Bedingungen für die Mauer berühre.

25. Oktober: Der FDP-Fraktionsvorsitzende Wolfgang Mischnick führt als erster bundesdeutscher Politiker ein Gespräch mit Egon Krenz in Ost-Berlin.

27. Oktober: Die DDR verkündet eine Amnestie für alle wegen Republikflucht verurteilten Bürger. Inhaftierte sollen bis zum 30. November freikommen. Die Visumspflicht für Reisen in die Tschechoslowakei wird wieder aufgehoben und löst eine erneute Fluchtwelle aus.

29. Oktober: Der Ost-Berliner Oberbürgermeister Erhard Krack und der SED-Bezirkschef Günter Schabowski stellen sich vor dem Roten Rathaus den Fragen der Bevölkerung. Dabei ruft ein Beteiligter zu einer Schweigeminute für die Opfer an der Berliner Mauer auf.

4. November: Größte Demonstration nach dem Krieg: Fast eine Million Menschen folgen in Ost-Berlin dem Aufruf der Künstler für Demokratie in der DDR.

7. November: Rücktritt des gesamten Ministerrates der DDR.

8. November: Rücktritt des gesamten Politbüros, Wahl eines neuen Gremiums am selben Tag. Egon Krenz als Generalsekretär bestätigt. Massendemonstrationen reißen nicht ab. Verfassungsausschuß der Volkskammer und die FDJ verwerfen Entwurf des neuen Reisegesetzes.

9. November: In den Abendstunden öffnet die DDR überraschend die Grenzen zu Berlin (West) und zur Bundesrepublik Deutschland. Szenen der Freude und des Wiedersehens noch in derselben Nacht. Zehntausende nutzen spontan die ungewohnte Freiheit. Grenzorgane geben jede Kontrolle auf, Reiserecht für jeden Bürger der DDR gilt ab sofort, in den ersten Tagen wird auf jede Formalität verzichtet.

10. November: Abgeordnetenhaus tritt zu einer Sondersitzung zusammen. Kundgebung vor dem Schöneberger Rathaus. Es sprechen: Bundeskanzler Helmut Kohl, Bundesaußenminister Hans-Dietrich Genscher, der Regierende Bürgermeister von Berlin Walter Momper, der frühere Regierende Bürgermeister von Berlin und Alt-Bundeskanzler Willy Brandt sowie der Präsident des Abgeordnetenhauses von Berlin Jürgen Wohlrabe.
Erste neue Grenzübergänge werden geöffnet: Glienicker Brücke und Kirchhainer Damm.

11. November: Mehr als 100 000 DDR-Bürger in West-Berlin. Massenansturm auf die Verkehrsmittel, Euphorie in ganz Berlin. Weitere neue Grenzübergänge: U-Bahnhof Jannowitzbrücke, Eberswalder/Bernauer Straße, Puschkinallee.

12. November: 500 000 DDR-Bürger in West-Berlin, Innenstadt zum Teil für Autoverkehr gesperrt, U-Bahnlinien müssen wegen Überfüllung der Bahnhöfe zeitweilig stillgelegt werden. Auch der Transitverkehr bricht zusammen. Autoschlangen von über 50 km vor den Grenzkontrollpunkten zur Bundesrepublik trotz Verzicht auf Kontrollen. Neuer Grenzübergang am Potsdamer Platz eröffnet: Der Regierende Bürgermeister Walter Momper und Oberbürgermeister Erhard Krack treffen sich auf der Grenzlinie.

13. November: Hans Modrow, ehemals SED-Bezirkschef von Dresden, wird neuer Ministerpräsident der DDR. Günther Maleuda (Vorsitzender der Demokratischen Bauernpartei Deutschlands) wird Vorsitzender der Volkskammer. Die DDR hebt Sperrzonen an den innerdeutschen Grenzen auf. Neue Grenzübergänge in Berlin: Wollankstraße und Falkenseer Chaussee. Ständige Vertretung in Ost-Berlin wieder geöffnet.

14. November: Neue Grenzübergänge geöffnet: Stubenrauchstraße, Philipp-Müller-Straße/Ostpreußendamm und Späthstraße.
Die DDR stellte bisher 5,7 Millionen Visa aus und genehmigte 11 754 Ausreiseanträge. Spekulationen über Öffnung des Brandenburger Tores.

15. November: Die neue Regierung der DDR legt ihr Konzept vor und bietet den verschiedenen Bürgerbewegungen Gespräche am »Runden Tisch« an.

16. November: Die Staatsanwaltschaft der DDR

beantragt die Aufhebung des Urteils gegen Walter Janka. Das Abgeordnetenhaus in Berlin fordert Bonner Hilfe. Bundeskanzler Helmut Kohl erklärt, daß die Frage der Wiedervereinigung von den Menschen in der DDR beantwortet werden müsse.

17. November: Der britische Außenminister Hurd besucht Berlin. Hans Modrow fordert in seiner Regierungserklärung eine intensivere Zusammenarbeit mit der Bundesrepublik Deutschland und kündigt weitreichende Reformen an. Die Präsidenten der beiden Sportverbände vereinbaren einen freien Sportverkehr. Erneuter Massenansturm von DDR-Bürgern führt in der Bundesrepublik und West-Berlin zu chaotischen Verkehrsverhältnissen.

18. November: Koalitionsregierung unter der Führung von Hans Modrow von der Volkskammer mit großer Mehrheit gewählt. Der Kurs der DDR-Mark fällt (zeitweilig 1:20). Europäische Gemeinschaft will Reformen in Osteuropa unterstützen.

19. November: Lange Schlangen von DDR-Bürgern vor den Begrüßungsgeldstellen, BVG muß wieder zeitweilig einzelne U-Bahnhöfe wegen Überfüllung schließen, die Ladenöffnungszeiten in Berlin werden immer noch verlängert.

20. November: Kanzleramtsminister Seiters trifft in Ost-Berlin Egon Krenz und Hans Modrow. Bundesregierung macht Hilfe vom Umfang der Reformen in der DDR abhängig. 250 000 Demonstranten auf dem Prager Wenzelsplatz fordern Rücktritt ihrer Regierung.

21. November: Erneut 400 000 Kurzbesucher aus der DDR. Souvenirjäger aus aller Welt sichern sich ein »Stück Mauer«.

22. November: Der Fährverkehr über die Ostsee wird aufgenommen.

23. November: Günter Mittag, im Politbüro ehemals zuständig für die Wirtschaft der DDR, wird aus der SED ausgeschlossen, gegen Erich Honecker wird ein Parteiausschlußverfahren beantragt. Die DDR-Regierung ordnet schärfere Zollkontrollen an, um einen Ausverkauf der DDR zu verhindern. Der Regierende Bürgermeister von Berlin Walter Momper will der DDR helfen, gegen Spekulanten vorzugehen, spricht sich gleichzeitig für die Abschaffung des Mindestumtauschs aus. Die Bundesregierung denkt darüber nach, ob ein Devisenfonds die Mark der DDR stützen und das Begrüßungsgeld überflüssig machen könnte.

24. November: Parteiführung der Tschechoslowakei tritt geschlossen zurück, über 300 000 Demonstranten bejubeln Alexander Dubček. Egon Krenz kündigt an, daß die SED auf ihren Führungsanspruch gemäß Artikel 1 der Verfassung verzichten wolle, der Dresdner Oberbürgermeister Berghofer meint, daß sich der Parteitag der SED im Dezember auch mit der Frage einer Deutschen Konföderation beschäftigen werde. Die Landeszentralbank in West-Berlin mußte inzwischen viele LKW-Ladungen mit kleinen Banknoten und 5-DM-Münzen in die DDR senden, um dort der Staatsbank die reibungslose Auszahlung von 15,– DM Reisegeld zu ermöglichen. Über 11 Millionen DDR-Bürger sind inzwischen im Besitz eines Reisevisums, das ihnen für ein halbes Jahr unbeschränkt Reisen in den Westen erlaubt.

25. November: Die Deutsche Lufthansa und die Interflug der DDR vereinbaren eine engere Zusammenarbeit.

26. November: FDJ vollzieht Trennung von der SED, Egon Krenz besucht Leipzig und bekräftigt Rolle der Stadt für die Einleitung der Reformen in der DDR. Volkskammerpräsident Maleuda kündigt Neuwahlen für den Herbst 1990 an.

27. November: Der Regierungssprecher der DDR Wolfgang Meyer signalisiert Verhandlungsbereitschaft der DDR zur Aufhebung des Mindestumtauschs und der Visapflicht für Bundesbürger und West-Berliner noch vor Weihnachten. FDP-Fraktion in Bonn spricht sich für DDR-Hilfen ohne Bedingungen aus. FDGB betont Unabhängigkeit von der SED. »Neues Forum« organisiert Montagsdemonstration in Leipzig, 200 000 Demonstranten fordern weitergehende Reformen und eine Deutsche Konföderation, Hannovers Bürgermeister Schmalstieg spricht zu den Demonstranten. In der DDR wird offen über Gegenkandidaten zu Egon Krenz und Hans Modrow spekuliert.

28. November: Debatte im Deutschen Bundestag über die Möglichkeiten einer Deutschen Konföderation. Bundeskanzler Helmut Kohl schlägt ein Zehn-Punkte-Programm zur Deutschlandpolitik vor.

29. November: Das Zehn-Punkte-Programm von Bundeskanzler Helmut Kohl wird im In- und Ausland unterschiedlich aufgenommen. Der Senat von Berlin kündigt die Beendigung der Vorratshaltung durch Auflösung der Senatsreserve an.

1. Dezember: Die Volkskammer der DDR streicht aus dem Artikel 1 der Verfassung den Führungsanspruch der SED. Bundeskanzler Helmut Kohl und der Regierende Bürgermeister von Berlin Walter Momper vereinbaren in Bonn zusätzliche Finanzhilfen für Berlin.

2. Dezember: Vor dem ZK-Gebäude in Ost-Berlin fordern mehrere tausend SED-Mitglieder den Rücktritt des Politbüros. Egon Krenz wird mit den Worten »Wir glauben dir nicht mehr« niedergeschrien. Beginn eines zweitägigen amerikanisch-sowjetischen Gipfels in Malta. Gorbatschow betont zur deutschen Frage, daß das weitere Schicksal der beiden deutschen Staaten »in der Perspektive des Helsinki-Prozesses« gelöst werden könne, eine künstliche Forcierung dem Prozeß schade.

3. Dezember: Rücktritt des Politbüros mit Egon Krenz an der Spitze. Auf der Sondersitzung des ZK wurden führende Funktionäre aus der Partei ausgeschlossen, u. a. Erich Honecker, Willi Stoph und Erich Mielke. Unter dem Verdacht der Untreue werden u. a. Günter Mittag und Harry Tisch verhaftet.

4. Dezember: Der Regierende Bürgermeister Walter Momper ruft DDR-Bürger zu Besonnenheit und mehr Disziplin auf. Bundesaußenminister Hans-Dietrich Genscher erläutert Gorbatschow in Moskau den Zehn-Punkte-Plan.

5. Dezember: Kanzleramtsminister Rudolf Seiters und Regierungschef Hans Modrow vereinbaren in Ost-Berlin, daß ab 1. Januar 1990 für alle Bürger der Bundesrepublik Deutschland und von Berlin (West) Visumpflicht und Zwangsumtausch entfallen. Sie kündigen die Einrichtung eines Devisenfonds an, der DDR-Bürgern Reisen in die Bundesrepublik erleichtert und das Begrüßungsgeld überflüssig macht. Bürgermeister Krack und der Regierende Bürgermeister Momper vereinbaren eine unkonventionelle Zusammenarbeit beider Teile Berlins in der Kommunalpolitik.

6. Dezember: Egon Krenz tritt auch als Vorsitzender des Staatsrates und des Nationalen Verteidigungsrates zurück, LDPD-Vorsitzender Manfred Gerlach wird amtierendes Staatsoberhaupt. DDR-Amnestie für 15 000 Häftlinge.

7. Dezember: Mit Gesprächen über eine Verfassungsreform wurde die erste Sitzung am »Runden Tisch« eröffnet. Dreißig Personen aus Opposition, Parteien und Kirchen – insgesamt Vertreter von 14 Organisationen – tagen zwei Tage im Dietrich-Bonhoeffer-Haus.

8. Dezember: In der Dynamo-Sporthalle in Berlin-Weißensee beginnt ein zweitägiger Sonderparteitag der SED. Vorher wurde am »Runden Tisch« schon beschlossen, daß eine neue Verfassung erarbeitet werden soll, der Staatssicherheitsdienst ganz aufgelöst wird und am 6. Mai 1990 freie Wahlen stattfinden sollen. Die ehemaligen Spitzenpolitiker Erich Mielke, Willi Stoph, Günther Kleiber und Werner Krolikowski werden wegen Machtmißbrauchs verhaftet. Gegen Erich Honecker und Hermann Axen werden ebenfalls Ermittlungsverfahren eingeleitet. In Straßburg beginnt eine zweitägige Gipfelkonferenz der EG. Ein Papier zur deutschen Frage anerkennt allen Deutschen das Recht auf »Einheit durch freie Selbstbestimmung«.

9. Dezember: Seit einem Monat sind die Grenzen offen. Wieder strömen mehr als eine Million Bürger der DDR in den Westen, 1800 kehren nicht in die DDR zurück. Nachfolger von Egon Krenz wird auf dem Sonderparteitag der SED der 41jährige Berliner Rechtsanwalt Gregor Gysi, seine Stellvertreter sind u. a. Hans Modrow und Wolfgang Berghofer. Einstimmig wird für den Bestand der SED plädiert. Ihr neuer Name und ein Reformprogramm sollen am nächsten Wochenende beschlossen werden. Über 500 000 Mitglieder sind in den letzten beiden Monaten aus der SED ausgetreten.

11. Dezember: Erstmals seit 1971 treffen sich die Botschafter der Vier Mächte wieder zu einer Konferenz in Berlin.

12. Dezember: Der amerikanische Außenminister Baker hält die deutsche Einheit im Rahmen der Überwindung der europäischen Teilung für konsequent. Er trifft überraschend in Potsdam Hans Modrow und verspricht der DDR Unterstützung ihrer Reformen.

15. Dezember: Die Regierung der DDR beschließt die baldige Auflösung der »Kampfgruppen der Arbeiterklasse«. Die Betriebskampfgruppen wurden 1952 als milizähnliche Sicherheitstruppen gebildet und übernahmen u. a. beim Mauerbau die Absperrungen an den Sektorengrenzen. Mit der Absage an den Sozialismus und dem Bekenntnis zur deutschen Einheit beginnt der Sonderparteitag der CDU der DDR.

19. Dezember: Bundeskanzler Helmut Kohl wird in Dresden jubelnd von der Bevölkerung empfangen. Der Bundeskanzler und der Ministerpräsident der DDR Hans Modrow beschließen die Vorbereitung einer Vertragsgemeinschaft zwischen den beiden deutschen Staaten.

20. Dezember: Frankreichs Präsident François Mitterrand stattet der DDR einen Staatsbesuch ab.

22. Dezember: Das Brandenburger Tor wird für Fußgänger geöffnet; Ministerpräsident Hans Modrow, Bundeskanzler Helmut Kohl, der Regierende Bürgermeister Walter Momper und Oberbürgermeister Erhard Krack halten Ansprachen.

24. Dezember: Für Bundesbürger und West-Berliner entfallen Visumpflicht und Zwangsumtausch.

25. Dezember: Rund 200.000 West-Berliner besuchen Ost-Berlin.

26. Dezember: Über 250.000 Besucher in Ost-Berlin.

27. Dezember: Die DDR-Firma Limex-Bau übernimmt den weltweiten Verkauf der Mauerstücke zugunsten des Gesundheitswesens in der DDR. Am sogenannten Runden Tisch fordern die Oppositionsgruppen schon vor den Wahlen die Beteiligung an der Regierung.

28. Dezember: Seit dem 9. November sind mehr als 20 Millionen Besucher aus der DDR in der Bundesrepublik gewesen; für West-Berlin wird die Zahl auf mehrere Millionen geschätzt.

29. Dezember: Berlin bereitet sich auf die zu erwartende große Silvesterfeier vor. Das Fernsehen der DDR und die ARD werden gemeinsam von dieser Feier am Brandenburger Tor berichten.

30. Dezember: In Berlin-Treptow demonstrieren 2000 Menschen gegen Rechtsradikalismus und Antisowjetismus in der DDR.

31. Dezember: Rund 500.000 Menschen, darunter viele Besucher aus aller Welt, feiern in der Silvesternacht am Brandenburger Tor.

1961

August 13: In the early hours (2 a. m.) of this Sunday, units of the People's Police and the National People's Army begin to block access to the Western sectors of the city. Barbed wire and barricades divide Berlin. Just two days later, building of the Wall begins: 1.25 meter-high concrete slabs are stacked on top of each other. The Western allies limit themselves to statements protesting the blocking measures. By September 20, a 12 km-long Wall has been erected, and East Berlin houses along the border are torn down. 137 km of barbed wire turn West Berlin into an island.

August 23: The number of border crossing points is reduced to 7; 4 of them are reserved only for West Berliners. The East Berlin authorities make border-crossing permits mandatory for West Berliners; practical implementation of this requirement fails for political reasons. With this, personal contacts between both parts of the city cease.

1962

August 17: Eighteen-year-old Peter Fechter from East Berlin is shot trying to escape and bleeds to death.

1963

June 21: Decree by the GDR Council of Ministers on "protection of the national borders" between the GDR and West Berlin.

June 26: U.S. President John F. Kennedy visits West Berlin. At Rathaus Schöneberg, he emphasizes his solidarity with the population of West Berlin with the words: "All free men, wherever they may live, are citizens of Berlin, and therefore, as a free man, I take pride in the words: Ich bin ein Berliner."

December 17: The first agreement on the issue of border-crossing permits, in effect from December 19 until January 5, 1964, allows West Berliners to visit relatives in the Eastern part of the city again for the first time.

1964

September 9: The GDR allows retirees to visit the West.

September 24: A new agreement on border-crossing permits increases the possible length of visits.

November 25: The GDR establishes a compulsory exchange of DM 6.50 per day.

1965

February 5: Agreement on border-crossing permits for Easter and Pentecost.

November 25: Agreement on border-crossing permits for Christmas and New Year's as well.

1966

October 6: A border-crossing permit office for urgent family matters is established.

1968

June 10–11: The GDR institutes a passport and visa requirement for both visitors and transit traffic between the FRG and West Berlin; until then, the identity card had sufficed.

1970

March 19: FRG Chancellor Willy Brandt and Chairman of the GDR Council of Ministers Willi Stoph meet in Erfurt (GDR).

May 21: Second meeting between Brandt and Stoph in Kassel (FRG) – the FRG suggests a contractual agreement regulating relations.

1971

January 31: Telephone lines between the two parts of Berlin, discontinued in May 1952, resume.

May 3: Walter Ulbricht resigns; Erich Honecker takes office as General Secretary of the Central Committee of the SED.

September 3: The USA, the Soviet Union, Great Britain and France sign the Quadripartite Agreement on Berlin.

December 17: Secretaries of State Egon Bahr and Michael Kohl sign the transit agreement between the FRG and GDR.

December 20: Agreements between the GDR and the West Berlin Senate regarding both visitation and the exchange of land.

1972

May 26: Secretaries of State Egon Bahr and Michael Kohl sign a contract regarding transport.

June 3: The Berlin Accord is signed by the four powers; all agreements reached thereby take effect.

July 24: A direct-dial telephone system between West Berlin and 32 GDR local exchanges is installed.

December 21: Egon Bahr and Michael Kohl sign the basic contract, which still regulates the relations between the two German states today. It takes effect 6 months later.

1973

November 5: The compulsory exchange is doubled; this measure was rescinded one year later.

1974

May 2: Permanent missions of the two German states are opened in Bonn and East Berlin; West Germany's mission also represents West Berlin.

1975

August 1: The GDR signs the Helsinki Agreement on Security and Cooperation in Europe.

October 29: The GDR and the West Berlin Senate agree on mutual help in the case of accidents on the border waterways.

December 19: Agreement on the extension of transit roads to Berlin.

1978

November 16: Agreement to build the expressway Berlin – Hamburg, to maintain the transit waterways, and to reopen the Teltow canal.

1980

January 1: The set fee for transit frees West Germans and West Berliners from paying the road-use toll. By 1989, the transit fee climbs from 50 million to 525 million DM; from 1990 to 1999, it will amount to 860 million DM per year.

October 9: Despite a sharp protest by the FRG government, the compulsory exchange is raised to 25 DM per day.

1983

September 15: Erich Honecker and West Berlin's Governing Mayor Richard von Weizsäcker meet in East Berlin.

1984

January 9: The West Berlin Public Transportation Authority (BVG) receives the right to operate the S-Bahn (elevated railway) in West Berlin, which had previously been administered by the Deutsche Reichsbahn (East German Railway).

November 30: The GDR begins to dismantle the automatic firing systems at the border, and grants a large number of emigration visas: 11,300 in 1983; 40,900 in 1984; and only 24,900 in 1985.

1985

November 1: Removal of all land mines at the GDR-FRG border.

1987

June 8: Young people and the People's Police clash at the Brandenburg Gate in East Berlin: they wanted to listen to a rock concert taking place in front of the Reichstag (West Berlin).

September 7–11: Erich Honecker pays an official working visit to the Federal Republic.

1989

January 18: Erich Honecker proclaims that the Wall "will still exist in 50 and in 100 years, unless the reasons for its existence are eliminated."

February 6: The last GDR citizen dies at the Wall on this day; a total of 78 people have died during escape attempts.

March 28: On Easter, 4,000 West Berliners take advantage of the opportunity to stay overnight with friends and relatives in East Berlin as allowed by a new border-crossing regulation in effect since March 1.

June 13: 376 guests from the GDR are allowed to participate in the Lutheran Church Conference in West Berlin.

August 1: Further easing of travel restrictions: West Berliners may enter the GDR by presenting a multiple visitor's permit directly at the border, and may also stay overnight in the districts of Frankfurt/Oder and Potsdam.

September 4: On the Monday of the Autumn Trade Fair in Leipzig, 1,200 people demonstrate with the motto: "Freedom of travel instead of mass exodus." The strong police contingent doesn't allow itself to be provoked even by cries of "Down with Stasi" (secret police), "Down with the Wall" and "Free access to Gießen" (a refugee camp in the FRG).

September 10: Hungary opens its border to Austria. 10,000 GDR citizens come to West Germany through Austria; 50,000 have arrived by October 30.

September 25: The "Monday demonstrations" in

Leipzig grow larger every week: 8,000 demonstrate today; 15,000 on October 2; 70,000 on October 9; 150,000 on October 16. Finally, 300,000 demonstrate on October 23, and almost that many take to the streets again a week later. Following a lengthy illness, Erich Honecker resumes control of the affairs of state.

September 30: The refugee drama at the Prague and Warsaw Embassies ends. On several occasions, GDR citizens are allowed to leave the completely overcrowded Embassies for "humanitarian" reasons. The measure initially described as "one-time" becomes an almost normal practice, since the GDR citizens refuse to return home to apply for an exit visa. The next day, 6,000 GDR citizens take special trains supplied by the East German Railway through the GDR to West Germany.

October 2: Police break up the demonstration in Leipzig. Demonstrators cry, "We're staying here!"

October 3: The GDR government forbids further visa-free traffic between the GDR and Czechoslovakia.

October 4: 10,000 GDR citizens leave Prague in sealed special trains – access to both train stations and areas of the route are blocked off.

October 5: 1,500 people call for calm and non-violence at the Gethsemane Church in the Prenzlauer Berg district of East Berlin.

October 6: The GDR denies visitors from the West entrance into East Berlin; this is continued throughout the weekend.

October 7: The GDR's 40th anniversary celebration. 7,000 demonstrators march through the center of the "Hauptstadt." Security forces take brutal measures: demonstrators are surrounded by police late at night in Prenzlauer Berg; 700 people are temporarily arrested. Mass demonstrations also take place in other GDR cities, including Dresden, Leipzig, Potsdam, Plauen and Jena. A total of over 1,000 persons are arrested. Erich Honecker continues to follow a hard-line stance against the protest movement; Mikhail Gorbachev warns, "Life punishes those who come too late!" A new social democratic party is founded in the GDR.

October 9: 70,000 people demonstrate peacefully in Leipzig. Demonstrations take place in other

cities as well; except in Halle, security forces show a surprising amount of restraint. Dresden's mayor, Wolfgang Berghofer, even talks to representatives of the opposition.

October 11: Following Hungary's lead, Poland also announces that it will not send back GDR citizens wishing to leave through that country.

October 13: Daily vigils for jailed civil rights leaders and demonstrators in many GDR cities are successful: almost all prisoners are set free. Honecker consults his deputies on "current tasks facing us in the further successful shaping of advanced socialist society." Manfred Gerlach, head of the LDPD (Liberal Democratic Party), expresses doubts about the SED's absolute power monopoly.

October 16: Mass rallies also take place in Dresden, Magdeburg and Halle.

October 18: Erich Honecker is ousted from all of his offices. The Central Committee votes in Egon Krenz as his successor; on October 24, he is confirmed by the People's Parliament. There are 26 votes against him and 26 abstentions.

October 19: The citizen's movement "New Forum" distinguishes itself more and more during demonstrations which, in the meantime, have overtaken the entire country. Among other things, the demonstrators proclaim: "**We** are the People," and demand a free press, freedom of travel, an end to the SED's power monopoly, and the separation of party and state. They express distrust of the new government, especially of Egon Krenz.

October 20: The GDR offers its former citizens the right to return. For the first time, leading SED members face citizens in a live television discussion. Dresden's mayor Wolfgang Berghofer emphasizes the necessity of giving all citizens the equal right to travel. The chief ideologue of the SED, professor Otto Reinhold, states on West German television that the new travel law will naturally also change the situation regarding the Wall.

October 25: The chairman of the FDP (Free Democratic Party) delegation, Wolfgang Mischnick, is the first West German politician to speak with Egon Krenz in East Berlin.

October 27: The GDR announces an amnesty for all citizens who have been convicted of attempting to escape from the republic. Those jailed are to be freed by November 30. The visa requirement for trips to Czechoslovakia is dropped; this results in another mass exodus.

October 29: East Berlin mayor Erhard Krack and SED district chief Günter Schabowski confront citizens' questions at the Rotes Rathaus (East Berlin's City Hall). A citizen calls for a moment of silence to remember the victims of the Berlin Wall. The SED takes back accusations formerly made against the "New Forum," especially that of being an enemy of the state.

November 4: Largest demonstration since the end of World War II: when artists call for a rally in support of democracy in East Germany, almost 1 million GDR citizens rise up in response.

November 7: Resignation of the GDR's entire Council of Ministers.

November 8: The entire Politburo resigns; a new body is elected the same day. Egon Krenz is confirmed as general secretary. No end to mass demonstrations. Both the constitutional committee of the People's Parliament and the FDJ (Free German Youth) reject the first draft of the new travel law.

November 9: In a surprise evening move, the GDR opens its borders to the FRG and West Berlin. Joyful reunion scenes all night long. Tens of thousands spontaneously make use of a new-found freedom. Border guards completely cease all controls; with immediate effect, all GDR citizens have complete freedom to travel. For the first few days, formalities are dispensed with altogether.

November 10: The West Berlin House of Representatives meets in a special session. Rally in front of Rathaus Schöneberg (West Berlin's City Hall). Speakers include Federal Chancellor Helmut Kohl, Foreign Minister Hans-Dietrich Genscher, Berlin's Governing Mayor Walter Momper, former Berlin Mayor and Federal Chancellor Willy Brandt, and the President of Berlin's House of Representatives, Jürgen Wohlrabe.
The first new border crossing points are opened: Glienicke Bridge and Kirchhainer Damm.

November 11: More than 100,000 GDR citizens visit West Berlin. Masses storm public transportation; Berlin is swept along on a wave of euphoria. More new border crossings: Underground station Jannowitzbrücke, Eberswalder/Bernauer Strasse, Puschkinallee.

November 12: Half a million GDR citizens in West Berlin. Downtown is partially closed to traffic; the Underground must temporarily stop running because of overcrowded stations. Transit traffic also comes to a standstill. Despite lack of controls, traffic jams stretching over 50 km form at the borders to West Germany. A new border crossing is opened on Potsdamer Platz: West Berlin's Governing Mayor Walter Momper and East Berlin's Mayor Erhard Krack meet at the border.

November 13: Hans Modrow, formerly SED chief in Dresden, becomes the GDR's new prime minister. Günther Maleuda (Chairman of the Democratic Farmer's Party of the GDR) is elected Chaiman of the People's Parliament. The GDR dismantles prohibited areas along its border with the FRG. New border crossings in Berlin: Wollankstrasse and Falkenseer Chaussee. West Germany's permanent mission in East Berlin is reopened.

November 14: New border crossings opened: Stubenrauchstrasse, Philipp-Müller-Strasse/Ostpreußendamm, and Späthstrasse. The GDR has already issued 5.7 million visas and approved 11,754 exit applications. Speculation about the opening of the Brandenburg Gate.

November 15: The GDR's new government announces its plan and offers to hold "Round Table" talks with the various citizen's groups.

November 16: The GDR prosecuting attorney's office moves to reverse the 1957 treason conviction of Walter Janka. West Berlin's House of Representatives requests help from Bonn. Federal Chancellor Helmut Kohl states that the question of German reunification must be decided by the people of the GDR.

November 17: British Foreign Minister Hurd visits Berlin. In an official government statement, Hans Modrow demands more intensive cooperation with the Federal Republic of Germany and announces sweeping reforms. In both countries, the presidents of the sports associations agree to unrestricted sporting contact. Renewed stream of GDR citizens into West Berlin and the Federal Republic leads to chaotic traffic conditions.

November 18: A coalition government led by Hans Modrow is elected by a large majority of the People's Parliament. The GDR Mark drops in value (at times, the exchange rate falls to 1:20). The European Community announces plans to support reforms in Eastern Europe.

November 19: GDR citizens form long lines in front of places distributing "welcome money;" the BVG must again temporarily close several Underground stations because of overcrowding; West Berlin's shops continue to stay open late.

November 20: Chancellor top aide Seiters meets with Egon Krenz and Hans Modrow in East Berlin. The federal government makes aid dependent upon the extent of reforms in the GDR. 250,000 Czechoslovakian demonstrators demand their government's resignation on Wenceslas Square in Prague.

November 21: 400,000 East Germans pay a short visit to the West. Souvenir hunters from all over the world get "a piece of the Wall."

November 22: Ferry traffic over the Baltic Sea commences.

November 23: Günter Mittag, the Politburo member formerly responsible for the GDR's economy, is expelled from the SED; members request party expulsion proceedings against Erich Honecker as well. The GDR government orders stricter customs controls to prevent a "selling-out" of the country. West Berlin's Governing Mayor Walter Momper announces plans to assist the GDR in proceeding against speculators; he also speaks in favor of discontinuing the compulsory exchange. The federal government considers establishment of a foreign exchange (hard currency) fund, which could support the GDR Mark and make the "welcome money" unnecessary.

November 24: Czechoslovakia's party leadership resigns en masse; over 300,000 demonstrators cheer Alexander Dubcek. Egon Krenz announces that the SED supports changing Article 1 of the GDR's Constitution, which guarantees the Party's monopoly of power. Dresden's Mayor Berghofer opines that the SED convention will take up the question of a German Confederation in December. In the meantime, West Berlin's central regional bank has been delivering truckloads of small bills and 5-Mark coins to the GDR so that the National Bank is able to continue the payment of 15 DM travel money. Over 11 million GDR citizens are in possession of a visa valid for six months of unrestricted travel to the West.

November 25: The two airlines Lufthansa (FRG) and Interflug (GDR) agree to closer cooperation.

November 26: The FDJ completes its separation from the SED; Egon Krenz visits Leipzig and emphasizes the city's role in pressing for reforms in the GDR. People's Parliament President Günther Maleuda announces that free elections are scheduled for Autumn of 1990.

November 27: GDR government spokesman Wolfgang Meyer signals the GDR's willingness to negotiate the abolition of the compulsory exchange and visa requirement for West Germans and West Berliners in time for Christmas. Bonn's Free Democrats support unconditional aid to the GDR. The FDGB (Free German Trade Union Association) emphasizes its independence from the SED. "New Forum" organizes another Monday demonstration in Leipzig; 200,000 march in support of sweeping reforms and a German Confederation. Hannover's Mayor Schmalstieg speaks to the demonstrators. Open speculation in the GDR regarding opposing candidates to Egon Krenz and Hans Modrow.

November 28: The West German Bundestag (parliament) debates possibilities for a German Confederation. Chancellor Helmut Kohl suggests a ten-point plan for *Deutschlandpolitik*.

November 29: Chancellor Helmut Kohl's ten-point plan is received with varying enthusiasm both at home and abroad. The Berlin Senate announces the termination of its food storage requirement and the dissolution of its accumulated grocery reserves.

December 1: The GDR's People's Parliament deletes the SED's power monopoly from the Constitution. FRG Chancellor Helmut Kohl and West Berlin's Governing Mayor Walter Momper meet in Bonn and agree to additional financial help for Berlin.

December 2: Several thousand SED members demand the resignation of the entire Politburo in a rally at the Central Committee headquarters in East Berlin. Egon Krenz is shouted down by cries of "We don't believe you anymore." A two-day American-Soviet summit begins in Malta. Regarding the German question, Gorbachev emphasizes that the future fate of the two German nations can be determined only "within the perspectives of the Helsinki Process," and that an artificial forcing of the issue would be detrimental to that process.

December 3: With Egon Krenz leading the way, the entire Politburo resigns. At a special session of the Central Committee, leading functionaries are expelled from the Party: among others, Erich Honecker, Willi Stoph, and Erich Mielke. Günther Mittag, Harry Tisch and others are arrested on charges of suspicion of misappropriation.

December 4: Governing Mayor Walter Momper calls upon the GDR population to remain calm and disciplined. In Moscow, FRG Foreign Minister Hans-Dietrich Genscher presents the ten-point plan to Gorbachev.

December 5: Chancellor top aide Rudolf Seiters and GDR Prime Minister Hans Modrow meet in East Berlin and agree that, as of January 1, 1990, the visa and compulsory exchange requirements will no longer apply to West Germans and West Berliners. They announce the establishment of a hard currency fund, which better enables East Germans to visit the Federal Republic and which makes the "welcome money" superfluous. Mayor Erhard Krack and Governing Mayor Walter Momper agree to unprecedented cooperation between both parts of Berlin on the local government level.

December 6: Egon Krenz resigns his posts as Chairman of the Council of State and of the National Security Council. Manfred Gerlach, leader of the LDPD (Liberal Democratic Party), becomes acting head of state. The GDR announces amnesty for 15,000 prisoners.

December 7: The first meeting of the "Round Table" begins with a discussion of constitutional reform. 30 people from the opposition, all political parties, and the churches – a total of 14 organizations are represented – meet for two days in the Dietrich-Bonhoeffer-Haus.

December 8: A two-day special convention of the SED begins in the Dynamo Sports Stadium in the Weissensee district of East Berlin. By this time, the "Round Table" had already decided to develop a new constitution, that the State Security Service would be entirely disbanded, and that free elections would take place on May 6, 1990. The former leading politicians Erich Mielke, Willi Stoph, Günther Kleiber and Werner Krolikowski are arrested and charged with abuse of public office. Investigative proceedings are initiated against Erich Honecker and Hermann Axen as well. A two-day European Community summit begins in Strasbourg. A paper on the German question recognizes that all Germans have the right to "unity through free self-determination."

December 9: The borders have been open for one month. Again, more than 1 million GDR citizens stream to the West; 1,800 do not return to the GDR. At the SED's special convention, the 41 year-old Berlin attorney Gregor Gysi is elected successor to Egon Krenz. His deputies include Hans Modrow and Wolfgang Berghofer. The delegates are unanimous in calling for the continued existence of the SED. A new name and a reform program are to be decided upon the following weekend. In the past two months, over 500,000 members have resigned from the SED.

December 11: For the first time since 1971, the Ambassadors of the Four Powers meet in Berlin for a conference.

December 12: U.S. Secretary of State Baker declares that the unification of Germany is a logical consequence of overcoming the division of Europe. He pays a surprise visit to Hans Modrow in Potsdam and promises U.S. support for the GDR's reform process.

December 15: The GDR government decides to dissolve the "fighting troops of the working class." These militia-like security troops were formed in 1952 and, among other things, sealed off the sector borders when the Wall was built. The special convention of the GDR's CDU (Christian Democratic Party) begins with a rejection of socialism and a declaration of belief in the unity of the German nation.

December 19: FRG Chancellor Helmut Kohl is greeted by cheering crowds in Dresden. The chancellor and the GDR's prime minister Hans Modrow agree to pave the way toward a contractual community between the two German nations.

December 20: French President François Mitterrand pays an official state visit to the GDR.

December 22: The Brandenburg Gate is opened for pedestrian traffic: GDR Prime Minister Hans Modrow, Chancellor Helmut Kohl, West Berlin Governing Mayor Walter Momper, and East Berlin's Mayor Erhard Krack give speeches on this historic occasion.

December 24: Beginning today, the visa and compulsory exchange requirements no longer apply to West Germans and West Berliners.

December 25: About 200,000 West Berliners visit East Berlin.

December 26: Over 250,000 visitors in East Berlin.

December 27: The GDR firm Limex-Bau takes over the worldwide sale of pieces of the Wall. The proceeds will benefit the GDR's health care system. At the so-called Round Table talks, the opposition groups demand participation in the government even before the free elections scheduled for May 1990.

December 28: Since the 9th of November, GDR citizens visiting West Germany have crossed the inter-German border more than 20 million times. Several million have also been in West Berlin.

December 29: Berlin prepares for the awaited giant New Year's Eve party. East and West German television will be broadcasting jointly from the Brandenburg Gate.

December 30: In the Treptow district of East Berlin, 2,000 people demonstrate against right-wing extremism and anti-Soviet sentiment in the GDR.

December 31: Half a million people, including visitors from all over the world, ring in the new decade at the Brandenburg Gate.

CHRONIQUE DES ÉVÉNEMENTS

1961

13 août: Tôt dans la matinée de dimanche (2 heures), des unités de la police populaire et de l'armée populaire nationale commencent à bloquer les voies menant au secteur Ouest. Des fils de fer barbelés et des barricades divisent Berlin. Deux jours plus tard, la construction du Mur commence: des plaques de béton d'une hauteur de 1,25 m sont empilées les unes sur les autres. Les puissances occidentales se limitent à manifester contre les mesures de blocage. – Jusqu'au 20 septembre, un mur d'une longueur de 12 km est érigé. A Berlin-Est, les maisons longeant la frontière sont démolies et 137 km de fils de fer barbelés font de Berlin-Ouest une île.

23 août: Les points de passage de frontière sont réduits au nombre de 7, dont 4 sont réservés aux Berlinois de l'Ouest. Les autorités de Berlin-Est décrètent l'obligation d'un laissez-passer pour les Berlinois de l'Ouest, dont la mise en pratique échoue pour des raisons politiques. Les relations humaines entre les deux parties de la ville cessent.

1962

17 août: Le Berlinois de l'Est, Peter Fechter, âgé de 18 ans, tente de s'évader. Il est blessé mortellement.

1963

21 juin: Décret du Conseil des ministres Est-allemands de «protéger les frontières d'Etat» entre la RDA et Berlin (Ouest).

26 juin: Le président des Etats-Unis, John F. Kennedy, se rend à Berlin-Ouest. Sa solidarité envers le peuple de Berlin-Ouest l'amène à déclarer: «Tous les hommes libres, où qu'ils vivent, sont des citoyens de Berlin-Ouest, et c'est pourquoi je suis fier de pouvoir dire: Ich bin ein Berliner».

17 décembre: Premier accord d'un laissez-passer, valable du 19 décembre au 5 janvier 1964, qui permet pour la première fois aux Berlinois de l'Ouest de rendre visite à leur famille du côté Est de la ville.

1964

9 septembre: La RDA accorde aux retraités la possibilité d'effectuer des visites à l'Ouest.

24 septembre: Nouvel accord d'un laissez-passer permettant une extension de la période de visite.

25 novembre: La RDA détermine un montant minimum de change obligatoire de DM 6,50 par jour.

1965

5 février: Accord d'un laissez-passer pour Pâques et la Pentecôte.

25 novembre: Accord d'un laissez-passer pour Noël et le Nouvel-An.

1966

6 octobre: Création d'un bureau d'établissement de laissez-passer pour les affaires de famille urgentes.

1968

10–11 juin: La RDA ordonne l'obligation d'un passeport et d'un visa pour le trafic touristique et transitaire entre la République fédérale d'Allemagne et Berlin (Ouest). Auparavant, la carte d'identité suffisait.

1970

19 mars: Le chancelier de la République fédérale d'Allemagne, Willy Brandt, et le président du Conseil des ministres Est-allemand, Willi Stoph, se rencontrent à Erfurt.

21 mai: Seconde rencontre entre Brandt et Stoph à Kassel – la République fédérale propose une réglementation contractuelle des relations.

1971

31 janvier: Reprise, entre les deux parties de Berlin, des communications téléphoniques qui furent interrompues en mai 1952.

3 mai: Démission de Walter Ulbricht. Erich Honecker reprend la fonction de secrétaire général du comité central du SED.

3 septembre: Les USA, l'Union soviétique, la Grande-Bretagne et la France signent l'Accord Quadripartite de Berlin.

17 décembre: Les secrétaires d'Etat, Egon Bahr et Michael Kohl, signent l'accord de transit entre la République fédérale et la RDA.

20 décembre: Conventions entre la RDA et le Sénat de Berlin (Ouest) en matière du trafic touristique et dans le domaine d'échange de territoire.

1972

26 mai: Un contrat relatif au trafic est signé par les secrétaires d'Etat, Egon Bahr et Michael Kohl.

3 juin: Signature du protocole final quadripartite du traité de Berlin. Ainsi, les arrangements convenus entrent en vigueur.

24 juillet: Installation du service téléphonique automatique entre Berlin (Ouest) et 32 réseaux locaux Est-allemands.

21 décembre: Egon Bahr und Michael Kohl signent un accord de base qui régit les relations entre les deux états allemands. Il entre en vigueur six mois plus tard et est toujours valable de nos jours.

1973

5 novembre: Le montant minimum de change obligatoire est doublé. Cette mesure est révoquée une année après.

1974

2 mai: Ouverture de représentations permanentes des deux Etats à Bonn et à Berlin (Est). Dans cette dernière, Berlin (Ouest) y est représentée légalement.

1975:

1 août: La RDA signe l'accord de la Conférence d'Helsinki sur la Sécurité et la Coopération en Europe.

29 octobre: Convention entre la RDA et le Sénat de Berlin (Ouest) pour une assistance mutuelle en cas d'accidents aux frontières fluviales.

19 décembre: Accord pour l'expansion des voies de transit en direction de Berlin.

1978

16 novembre: Accords pour la construction de l'autoroute Berlin-Hambourg, pour l'entretien des voies navigables de transit et pour la réouverture du canal de Teltow.

1980

1er janvier: Le forfait de transit dispense les citoyens de la République fédérale et de Berlin-Ouest du payement des taxes routières. Le forfait augmente de 50 millions de DM, atteignant un montant total de 525 millions de DM en 1989,

et à partir de 1990 jusqu'en 1999, il s'élèvera à 860 millions de DM par an.

9 octobre: Nouvelle augmentation du montant minimum de change obligatoire, désormais fixé à DM 25,–. Ceci malgré les vives protestations du gouvernement de la République fédérale.

1983

15 septembre: Rencontre à Berlin-Est entre Erich Honecker et le Bourgmestre régnant de Berlin, Richard von Weizsäcker.

1984

9 janvier: La compagnie de transports de Berlin-Ouest (BVG) obtient les droits d'exploitation du S-Bahn de Berlin-Ouest qui jusqu'alors fut administré par les chemins de fer de la RDA.

30 novembre: La RDA commence le démontage des installations à tir automatique à la frontière intérieure allemande et délivre un grand nombre d'autorisations d'émigration: 1983: 11.300, 1984: 40.900 et 1985: à nouveau seulement 24.900.

1985

1er novembre: Déminage complet à la frontière intérieure allemande.

1987

8 juin: Du côté Est de la porte de Brandebourg, conflit entre les forces de l'ordre et des jeunes qui souhaitent écouter un concert de rock qui a lieu de l'autre côté, devant le Reichstag.

7–11 septembre: Visite officielle d'Erich Honecker en République fédérale d'Allemagne.

1989

18 janvier: Erich Honecker déclare: «dans 50 et même 100 ans, le Mur sera encore là, à moins que les raisons qui ont déclenché son existence ne soient écartées».

6 février: Pour la dernière fois, un citoyen Est-allemand périt au pied du Mur. En tout 78 personnes ont trouvé la mort en tentant de prendre la fuite.

28 mars: Grâce à une réglementation en vigueur depuis le 1er mars, 4.000 Berlinois de l'Ouest profitent des fêtes de Pâques pour passer une nuit, pour la première fois, chez des amis ou auprès de leur famille à Berlin-Est.

13 juin: Pour la première fois, 376 hôtes Est-allemands prennent part à une assemblée religieuse à Berlin (Ouest).

1er août: De nouvelles facilités de déplacement:

les Berlinois de l'Ouest obtiennent la permission d'entrée dans le pays, directement à la douane, sur simple présentation d'un titre d'autorisation multiple. Ils peuvent également passer la nuit dans les arrondissements de Francfort/Oder et Potsdam.

4 septembre: Le lundi, durant l'exposition d'automne de Leipzig, 1.200 personnes manifestent en scandant: Liberté de voyage au lieu de l'exode. Les forces de police importantes ne se laissent toutefois pas provoquer par des acclamations telles que «à bas la sûreté intérieure de l'Etat», «à bas le Mur» et «libre parcours pour Gießen» (Camp d'accueil pour les émigrés est-allemands en RFA).

10 septembre: En Hongrie, ouverture des frontières menant à l'Autriche. 10.000 citoyens Est-allemands arrivent en République fédérale d'Allemagne par l'Autriche; ils seront quelque 50.000 en tout jusqu'au 30 octobre.

25 septembre: Les «manifestations du lundi» à Leipzig augmentent considérablement à chaque fois. A ce jour, ils sont 8.000 participants, le 2 octobre 15.000, le 9 octobre 70.000, le 16 octobre 150.000, finalement, le 23 octobre ils sont 300.000 à manifester. Une semaine plus tard, ils sont presque toujours autant. Erich Honecker reprend ses fonctions après plusieurs semaines de maladie.

30 septembre: Fin de la tragédie des réfugiés des ambassades de Prague et de Varsovie. Plusieurs fois, pour des raisons «humanitaires», des citoyens Est-allemands obtiennent leur autorisation d'émigrer et quittent l'ambassade surpeuplée. Malgré le fait que cette mesure est «unique», elle devient presque pratique courante. En effet, les gens refusent de retourner en RDA pour demander sur place leur autorisation d'émigrer. Le jour suivant, 6.000 citoyens Est-allemands sont amenés jusqu'en République fédérale par trains spéciaux traversant le territoire Est-allemand.

2 octobre: L'intervention de la police stoppe la manifestation de Leipzig. Les manifestants clament: «nous restons ici».

3 octobre: La circulation sans visa entre la Tchécoslovaquie et la RDA est supprimée.

4 octobre: Au départ des gares de Prague, 10.000 citoyens est-allemands partent à bord de trains spéciaux scellés. Les voies ferrées et les gares sur le territoire Est-allemand sont bloquées.

5 octobre: Dans l'église de Gethsemani à Prenzlauer Berg à Berlin, 1.500 personnes réclament la paix et la non-violence.

6 octobre: La RDA refuse l'entrée à Berlin-Est aux visiteurs de l'Ouest; ceci se poursuit durant tout le week-end.

7 octobre: 40ème anniversaire de la fondation de la RDA. 7.000 manifestants se rendent au centre de la «capitale». Les forces de sécurité ont recours à la brutalité face aux manifestants. Dans la nuit du 8 octobre, ils les encerclent à Prenzlauer Berg et quelque 700 personnes sont arrêtées temporairement. Dans d'autres villes Est-allemandes également, des manifestations gigantesques ont lieu, par exemple à Dresde, Leipzig, Potsdam, Plauen et Jena.

En tout, plus d'un millier de personnes sont arrêtées. En outre, Erich Honecker intervient pour que des mesures fermes soient prises face aux mouvements de protestation. Mikhaïl Gorbatchov l'avertit toutefois que: «Celui qui arrive en retard, est puni par la vie». Fondation du parti social démocrate Est-allemand.

9 octobre: 70.000 personnes manifestent pacifiquement à Leipzig. Dans d'autres villes aussi ont lieu des manifestations. A l'exception de Halle, les forces de sécurité massives n'interviennent pas. A Dresde, le maire, Wolfgang Berghofer s'entretient même avec les représentants de l'opposition.

11 octobre: Après la Hongrie, la Pologne déclare également que plus aucun citoyen Est-allemand ne sera renvoyé s'il souhaite quitter son pays.

13 octobre: Des veillées commémoratives pour les défenseurs des droits de l'homme et les manifestants emprisonnés ont lieu quotidiennement dans plusieurs villes de la RDA. Elles sont d'ailleurs très fructueuses. En effet, presque toutes les personnes arrêtées sont libérées. Honecker débat fermement avec ses représentants «des tâches actuelles de la réalisation du développement prometteur de la société socialiste». Manfred Gerlach, président du LDPD, fait part de ses doutes quant au pouvoir absolu du SED.

16 octobre: Manifestations massives également à Dresde, Magdeburg et Halle.

18 octobre: Erich Honecker est relevé des ses fonctions. Le comité central élit Egon Krenz comme successeur; le vote est ratifié le 24 octobre devant la Chambre du peuple avec 26 voix contre et 26 abstentions.

19 octobre: A l'occasion des nombreuses manifestations qui touchent le pays tout entier, le mouvement populaire «Nouveau Forum» se profile de plus en plus. Les manifestants revendiquent entre autres: «nous sommes le peuple, liberté de presse, élections libres, liberté de déplacement, abandon du pouvoir absolu du SED, séparation entre le Parti et l'Etat». Ils expriment leur méfiance face au nouveau gouvernement et plus particulièrement face à Egon Krenz.

20 octobre: La RDA propose aux anciens citoyens Est-allemands le retour au pays. Des membres du SED prennent part pour la première fois à un débat en direct à la télévision. Le maire de Dresde, Wolfgang Berghofer, souligne la nécessité d'un traitement identique pour tous les citoyens souhaitant voyager. L'idéologue principal du SED, le professeur Otto Reinhold, déclare à la seconde chaîne de télévision Ouest-allemande, que la nouvelle loi sur l'émigration toucherait aussi l'existence du Mur.

25 octobre: Le président de la fraction du FDP, Wolfgang Mischnick, est le premier politicien de la République fédérale à s'entretenir avec Egon Krenz à Berlin-Est.

27 octobre: La RDA promulgue une amnistie pour tous les citoyens condamnés qui ont tenté de fuir du pays. Les prisonniers seront libérés jusqu'au 30 novembre. L'obligation de visa pour la Tchécoslovaquie est à nouveau supprimée. Une nouvelle vague d'exode se déclenche.

29 octobre: Le maire de Berlin-Est, Erhard Krack, et le chef local du SED, Günter Schabowski, répondent devant le Rotes Rathaus, aux questions du peuple. Un participant demande une minute de silence en mémoire des victimes du Mur de Berlin.

4 novembre: La plus grande manifestation depuis la guerre: environ un million de personnes suivent l'appel des artistes pour la démocratie en RDA.

7 novembre: Démission globale du Conseil des ministres de la RDA.

8 novembre: Démission globale du Politbureau. Le même jour, élection d'une nouvelle assemblée. La nomination d'Egon Krenz en tant que secrétaire général est ratifiée. Des manifestations massives ont lieu sans discontinuer. Le conseil constitutionnel de la Chambre du peuple et le FDJ rejettent le nouveau projet de loi relatif au voyage.

9 novembre: Durant la soirée, la RDA ouvre inopinément ses frontières avec Berlin (Ouest) et la République fédérale d'Allemagne. Dans cette même nuit, scènes de joie et de retrouvailles. Des dizaines de milliers de personnes profitent immédiatement de cette inhabituelle liberté. A tous les postes frontières, les contrôles cessent. Le droit de voyage est valable immédiatement pour tous les citoyens Est-allemands. Durant les premiers jours, on renonce à toute formalité.

10 novembre: Session extraordinaire de la Chambre des députés de Berlin-Ouest. Manifestation devant le Rathaus Schöneberg. Le chancelier de la République fédérale, Helmut Kohl, le ministre de l'Extérieur, Hans-Dietrich Genscher, le Bourgmestre régnant de Berlin, Walter Momper, l'ancien maire de Berlin et ancien chancelier, Willy Brandt, ainsi que le président de la Chambre des députés de Berlin, Jürgen Wohlrabe prononcent des discours.
Des nouveaux postes frontières sont ouverts: Glienicker Brücke et Kirchhainer Damm.

11 novembre: Plus de 100.000 citoyens Est-allemands à Berlin-Ouest. Assaut massif des moyens de transport, euphorie générale à Berlin. Des nouveaux postes frontières sont ouverts: U-Bahnhof Jannowitzbrücke, Eberswalder/Bernauer Straße, Puschkinallee.

12 novembre: 500.000 citoyens Est-allemands à Berlin-Ouest, le centre ville est fermé au trafic routier, les métros doivent s'arrêter par intermittence vu la surpopulation dans les gares. La débâcle règne aussi dans le trafic de transit. Des files de voitures d'environ 50 km se forment devant les postes de douane de la République fédérale et ceci malgré l'absence de tout contrôle. Ouverture du nouveau point de passage de Potsdamer Platz: le Bourgmestre régnant Walter Momper et le maire de Berlin-Est, Erhard Krack, se rencontrent à la ligne de démarcation.

13 novembre: Hans Modrow, ancien chef local du SED de Dresde, devient le nouveau premier ministre de la RDA. Günther Maleuda (président du parti agricole démocratique allemand) devient président de la Chambre du peuple. La RDA supprime les zones interdites à la frontière intérieure allemande. Nouveaux points de passage à Berlin: Wollankstraße et Falkenseer Chaussee. La représentation permanente à Berlin-Est est à nouveau ouverte.

14 novembre: Ouverture de nouveaux points de passage: Stubenrauchstraße, Philipp-Müller-Straße/Ostpreußendamm et Späthstraße. La RDA a délivré jusqu'ici 5,7 millions de visas et donne une suite favorable à 11.754 requêtes d'émigration. Spéculations relatives à l'ouverture de la porte de Brandebourg.

15 novembre: Le nouveau gouvernement de la RDA présente son projet et propose une table ronde aux différents mouvements populaires.

16 novembre: Le procureur de la RDA requiert la suppression de l'arrêt envers Walter Janka. La Chambre des députés de Berlin-Ouest exige l'aide de Bonn. Le chancelier fédéral, Helmut Kohl, déclare que la réponse à la question de la réunification doit être apportée par les hommes de la RDA.

17 novembre: Le ministre de l'Extérieur britannique, Hurd, se rend à Berlin. Lors de sa déclaration gouvernementale, Hans Modrow insiste sur une coopération intensive avec la République fédérale d'Allemagne et prévoit des réformes importantes. Les présidents des deux associations sportives nationales conviennent d'un libre échange sportif. Un nouvel afflux massif de citoyens Est-allemands en République fédérale d'Allemagne et à Berlin-Ouest engendre des conditions de trafic quelque peu chaotiques.

18 novembre: Elu à la grande majorité par la Chambre du peuple, Hans Modrow prend la tête du gouvernement de coalition. Le cours du mark (Est) chute (provisoirement 1:20). La Communauté européenne veut appuyer les réformes en Europe de l'Est.

19 novembre: Longues files d'attente des citoyens Est-allemands devant les guichets où ils peuvent retirer leur argent de bienvenue. La BVG doit à nouveau fermer des gares provisoirement étant donné la surcharge des trains. Les heures d'ou-verture des commerces de Berlin sont encore prolongées.

20 novembre: Le ministre de la Chancellerie, Seiters, rencontre Egon Krenz et Hans Modrow à Berlin-Est. Le gouvernement de la République fédérale n'apportera son aide que proportionnellement au volume des réformes Est-allemandes. Sur la place Wenceslas, 25.000 manifestants exigent la démission du gouvernement.

21 novembre: 400.000 visiteurs Est-allemands. Les chasseurs de souvenirs du monde entier s'emparent d'un «morceau du Mur».

22 novembre: Reprise du trafic des ferry-boats sur l'Ostsee.

23 novembre: Günter Mittag, autrefois chargé de l'économie Est-allemande auprès du Politbureau, est exclu du SED. Une procédure d'exclusion du parti contre Erich Honecker est exigée. Le régime Est-allemand ordonne des contrôles de douane sévères afin d'éviter le bradage de la RDA. Le Bourgmestre régnant Walter Momper, souhaite aider la RDA, en intentant une action contre les spéculateurs. Il se prononce également sur l'abolition du montant minimum de change obligatoire. Le gouvernement de la République fédérale se demande si un fonds de devises pourrait soutenir le mark Est-allemand et ainsi rendre inutile l'argent de bienvenue.

24 novembre: Démission en bloc du Praesidium du comité tchécoslovaque. Plus de 300.000 manifestants acclament Alexander Dubcek. Egon Krenz annonce que le SED veut renoncer au pouvoir absolu conformément à l'article 1 de la constitution. Le maire de Dresde, Berghofer, pense que le congrès du parti du SED devra également s'occuper en décembre de la question d'une Confédération allemande. La Banque Nationale Centrale à Berlin-Ouest doit entre-temps envoyer à Berlin-Est plusieurs camions remplis de petites coupures et de pièces de 5 DM, afin de permettre à la Banque d'Etat d'effectuer sans problème le payement des 15 DM destinés aux dépenses à l'étranger. Plus de 11 millions de citoyens Est-allemands sont en possession d'un visa qui leur offre un nombre illimité de voyages à l'Ouest pendant 6 mois.

25 novembre: Les deux compagnies aériennes, Lufthansa (RFA) et Interflug (RDA) conviennent d'une coopération plus étroite.

26 novembre: Le FDJ se sépare du SED. Egon Krenz se rend à Leipzig et confirme le rôle prépondérant de la ville lors de l'ouverture des réformes en RDA. Le président de la Chambre du peuple, Maleuda, annonce de nouvelles élections pour l'automne 1990.

27 novembre: Le porte-parole du gouvernement Est-allemand, Wolfgang Meyer, signale la disposition de la RDA à supprimer, avant Noël encore, le montant minimum de change et l'obligation de visa pour les citoyens de la République fédérale et de Berlin-Ouest. La fraction du FDP de Bonn se prononce sur une aide sans réserve envers la RDA. Le FDGB (syndicat général Est-allemand) met l'accent sur son indépendance face au SED. Le «Nouveau Forum» organise une «manifestation du lundi» à Leipzig. 200.000 manifestants exigent la poursuite des réformes et une Confédération allemande. Le maire d'Hannovre, Schmalstieg, s'adresse aux manifestants. En RDA, on spécule pour des candidats à la succession d'Egon Krenz et de Hans Modrow.

28 novembre: Débat au Bundestag sur la possibilité d'une Confédération allemande. Le chancelier de la République fédérale, Helmut Kohl, propose un programme en dix points relatif à la politique allemande.

29 novembre: Le plan en dix points du chancelier de la République fédérale, Helmut Kohl, est accueilli de diverses manières à l'intérieur du pays et à l'étranger. Le Sénat de Berlin annonce l'arrêt du maintien de provisions par la dissolution des réserves sénatoriales.

1er décembre: La Chambre du peuple de la RDA révoque la partie de l'article 1 de la constitution justifiant le pouvoir absolu du SED. A Bonn, le chancelier de la République fédérale, Helmut Kohl, et le Bourgmestre régnant, Walter Momper, s'entendent sur des aides financières supplémentaires pour Berlin.

2 décembre: Devant le bâtiment du comité central de Berlin-Est, plusieurs milliers de personnes exigent le retrait du Politbureau. Les paroles d'Egon Krenz sont étouffées par des «nous ne te croyons plus».
Début d'un sommet américano-soviétique de deux jours à Malte. Gorbatchov souligne que l'avenir des deux Etats allemands ne pourra être résolu que «dans la perspective du processus d'Helsinki». Une accélération artificielle détériorerait ce processus.

3 décembre: Retrait du Politbureau avec à sa tête Egon Krenz. Lors du congrès extraordinaire du comité central, des membres importants sont exclus du Parti, entre autres Erich Honecker, Willi Stoph et Erich Mielke. Soupçonnés de trahison, Günter Mittag et Harry Tisch sont arrêtés.

4 décembre: Walter Momper fait appel aux citoyens Est-allemands pour plus de pondération et de discipline. A Moscou, le ministre de l'Extérieur fédéral, Hans-Dietrich Genscher, expose le plan en dix points à Gorbatchov.

5 décembre: A Berlin-Est, le ministre de la Chancellerie, Rudolf Seiters, et le chef du gouvernement, Hans Modrow, s'entendent sur la suppression, à partir du 1er janvier 1990, du change minimum et de l'obligation de visa pour les citoyens de la RFA et les Berlinois de l'Ouest. Ils annoncent la création de fonds de devises qui faciliteront les voyages des citoyens Est-allemands et rendront inutile l'argent de bienvenue. Le maire de Berlin-Est, Krack, et Walter Momper conviennent d'une coopération non-conventionnelle entre les deux parties de Berlin au niveau de la politique communale.

6 décembre: Egon Krenz se retire de la présidence du conseil d'Etat et du conseil national de la Défense. Le président du LDPD, Manfred Gerlach, devient chef d'Etat. Amnistie Est-allemande pour 15.000 prisonniers.

7 décembre: Ouverture de la première «table ronde» sur la réforme de la constitution. Trente personnes de l'opposition, des partis et de l'Eglise – des représentants de 14 organisations en tout – se réunissent pendant deux jours à Dietrich-Bonhoeffer-Haus.

8 décembre: Dans le centre sportif Dynamo à Berlin-Weißensee se tient, pendant deux jours, le congrès extraordinaire du SED. Lors de la «table ronde», il a déjà été convenu qu'une nouvelle constitution soit élaborée, que le service de sûreté intérieure de l'Etat soit totalement dissous et que les élections libres auraient lieu le 6 mai 1990. Les anciens hommes politiques, Erich Mielke, Willi Stoph, Günther Kleiber et Werner Korlikowski sont arrêtés pour abus de pouvoir. Des instructions contre Erich Honecker et Hermann Axen sont également ouvertes. Le sommet de la Communauté européenne reconnaît, à tous les Allemands, le droit «à l'unité par une libre autodétermination».

9 décembre: Les frontières sont ouvertes depuis un mois. Plus d'un million de citoyens Est-allemands affluent encore à l'Ouest. 1800 personnes ne retournent pas en RDA. L'avocat berlinois de 41 ans, Gregor Gysi, succède à Egon Krenz lors du congrès extraordinaire du SED. Ses adjoints sont entre autres Hans Modrow et Wolfgang Berghofer. On vote à l'unanimité pour le maintien du SED. En deux mois, le SED a perdu plus de 500.000 de ses membres.

11 décembre: Pour la première fois depuis 1971, les ambassadeurs des quatre puissances se rencontrent à Berlin.

12 décembre: Le ministre américain des Affaires étrangères, Baker, considère l'unité allemande comme une conséquence logique dans le cadre de la victoire sur le partage européen. A Potsdam, il rencontre inopinément Hans Modrow et s'engage à soutenir les réformes Est-allemandes.

15 décembre: Le gouvernement de la RDA décide de la dissolution des «groupes de combat de la classe ouvrière». Le mouvement des groupes de combat fut formé en 1952 comme troupes de sécurité semblables aux milices. Durant la construction du Mur, ils s'occupèrent entre autres du blocage des voies menant au secteur Ouest. Le CDU Est-allemand débute son congrès extraordinaire par le refus du socialisme et avec la foi en l'unité de la nation allemande.

19 décembre: Le chancelier fédéral, Helmut Kohl, est accueilli avec allégresse par la population de Dresde. Le chancelier fédéral et le premier ministre Est-allemand, Hans Modrow, décident de la préparation d'une communauté contractuelle entre les deux Etats allemands.

20 décembre: Le président François Mitterrand effectue une visite officielle en RDA.

22 décembre: La porte de Brandebourg est ouverte aux piétons; le premier ministre, Hans Modrow, le chancelier fédéral, Helmut Kohl, le Bourgmestre régnant, Walter Momper, et le maire de Berlin-Est, Erhard Krack, prononcent un discours.

24 décembre: L'obligation de visa et de change minimum est supprimée pour les citoyens de la République fédérale et les Berlinois de l'Ouest.

25 décembre: Environ 200.000 Berlinois de l'Ouest visitent Berlin-Est.

26 décembre: Plus de 250.000 visiteurs à Berlin-Est.

27 décembre: L'entreprise Est-allemande Limex-Bau entreprend, à l'échelle mondiale, la vente du Mur en faveur de la santé publique en RDA. Les groupes de l'opposition exigent déjà avant les élections la participation au gouvernement.

28 décembre: Depuis le 9 novembre, plus de 20 millions de visiteurs Est-allemands se sont rendus en République fédérale. En ce qui concerne Berlin-Ouest, on estime à plusieurs millions le nombre de visiteurs.

29 décembre: Berlin se prépare à la fête de la Saint-Sylvestre. La télévision Est-allemande et l'ARD transmettront en commun la fête à la porte de Brandebourg.

30 décembre: A Berlin-Treptow, 2.000 personnes manifestent contre le radicalisme de droite et l'antisoviétisme en RDA.

31 décembre: Environ 500.000 personnes, parmi lesquelles de nombreux visiteurs du monde entier, célèbrent la nuit de la Saint-Sylvestre à la porte de Brandebourg.

AUTOREN

THE AUTHORS

Anke Schwartau
geboren 1961 in Thüringen, arbeitete mehrere Jahre im Verlagswesen der DDR. Sie lebte bis zum Juni 1989 am Prenzlauer Berg in Berlin (Ost) und wohnt jetzt in West-Berlin.

Anke Schwartau
was born in Thüringen in 1961, and worked in publishing in the GDR for several years. She lived in East Berlin's Prenzlauer Berg district until June 1989, and now lives in West Berlin.

Dr. Cord Schwartau
geboren 1941 in Hamburg, studierte Wirtschaftswissenschaften und promovierte 1976 in Berlin. Er ist Hochschullehrer und Experte in den Bereichen Industrie und Umweltschutz der DDR am Deutschen Institut für Wirtschaftsforschung Berlin. Zahlreiche Aufsätze und Gutachten, u. a. in: »Materialien zur Lage der Nation im geteilten Deutschland« 1987.

Dr. Cord Schwartau
was born in Hamburg in 1941. He studied economics, receiving his Ph. D. in Berlin in 1976. He is a university lecturer and expert on industry and environmental protection in the GDR at the German Institute for Economic Research in West Berlin. He has written numerous articles and expert opinions, for example in "Materials on the State of the Nation in a Divided Germany," 1987.

Rolf Steinberg
geboren 1929, lebt als freier Journalist und Büchermacher in Berlin. Arbeitete nach Studien der Politologie, Geschichte und des Journalismus u. a. als Reporter bei internationalen Nachrichtenagenturen, Paris-Korrespondent des »Spiegel« und Verlagslektor. Er ist in den letzten Jahren durch mehrere Publikationen über Berlin hervorgetreten.

Rolf Steinberg
was born in 1929, and is a free-lance journalist and author in Berlin. After studying political science, history and journalism, he has worked as, among other things, a reporter for international news agencies, Paris correspondent for "Der Spiegel," and as a copy editor. In recent years, he has written frequently about Berlin.

AUTEURS

FOTOGRAFEN

Anke Schwartau
Née en 1961 en Thüringen. Elle travailla plusieurs années dans le domaine de l'édition en RDA. Elle a vécu jusqu'en juin 1989 à Prenzlauer Berg à Berlin-Est et habite maintenant à Berlin-Ouest.

Dr. Cord Schwartau
Né en 1941 à Hambourg. Il étudia les sciences économiques et fut promu à Berlin en 1976. Il est professeur à l'université et expert dans les domaines de l'industrie et de la protection de l'environnement de la RDA à l'Institut de recherches économiques de Berlin. De nombreux écrits et rapports dont entre autres: «Matériel relatif à la situation de la nation dans l'Allemagne partagée», 1987.

Rolf Steinberg
Né en 1929. Il est journaliste free-lance et éditeur. Après ses études en politologie, histoire et journalisme, il travailla entre autres comme reporter auprès des agences de presse internationales, comme correspondant à Paris du «Spiegel» et comme journaliste indépendant. Ces dernières années, il a rédigé des articles remarquables pour plusieurs publications relatives à Berlin.

Umschlag: Klaus Lehnartz

dpa: S. 136/137

Paul Glaser: S. 101

Klaus und Dirk Lehnartz: S. 2, 44, 53, 54 o., 54 u., 55, 56/57, 58/59, 61, 62 o., 64, 65, 82 o., 82 u., 89 u., 96, 101 u., 102, 105 o., 105 u., 125, 132

Pressefoto Mrotzkowski: S. 48/49, 60, 66/67, 68/69, 70, 76, 80/81, 100, 110

Günter Peters: S. 62 u., 74, 75 o., 77, 83, 84, 86, 103 u., 104, 107 u., 144

Thomas Sandberg: S. 139

Günter Schneider: S. 24

Ralf G. Succo: S. 127 u.

Zenit Bildagentur: S. 29 u., 34/35, 36, 124 u., 134, 135, 138 o.
Paul Langrock: S. 78, 85 u., 87, 92, 93, 94/95, 106, 107 o., 112/113, 120 u., 121, 126, 127 o.
Ali Paczensky: S. 36 o., 108
Andreas Schoelzel: S. 26/27, 28, 30/31, 32/33, 37, 38/39, 40/41, 42/43, 43, 46/47, 50/51, 52, 53 o., 63, 72/73, 79 o., 79 u., 90/91, 97 o., 98/99, 103 u., 109 o., 109 u., 117 o., 128/129, 130/131, 138, 142/143, Umschlag hinten
Hans Peter Stiebing: S. 29 o., 75 u., 76, 88, 89 o., 97 u., 107 u., 114/115, 116, 118/119, 122/123, 124 o., 140/141
Metin Yilmaz: S. 85 o., 120 o.